中华人民共和国国家标准

水泥工厂余热发电设计标准

Standard for design of waste heat power generation in cement plant

GB 50588-2017

主编部门：国家建筑材料工业标准定额总站
批准部门：中华人民共和国住房和城乡建设部
施行日期：2 0 1 8 年 3 月 1 日

中国计划出版社

2017 北 京

中华人民共和国国家标准
水泥工厂余热发电设计标准
GB 50588-2017

☆

中国计划出版社出版发行
网址:www.jhpress.com
地址:北京市西城区木樨地北里甲11号国宏大厦C座3层
邮政编码:100038 电话:(010)63906433(发行部)
三河富华印刷包装有限公司印刷

850mm×1168mm 1/32 3.25印张 82千字
2018年2月第1版 2018年2月第1次印刷

☆

统一书号:155182·0206
定价:20.00元

版权所有 侵权必究
侵权举报电话:(010)63906404
如有印装质量问题,请寄本社出版部调换

中华人民共和国住房和城乡建设部公告

第 1665 号

住房城乡建设部关于发布国家标准 《水泥工厂余热发电设计标准》的公告

现批准《水泥工厂余热发电设计标准》为国家标准，编号为 GB 50588—2017，自 2018 年 3 月 1 日起实施。其中，第 7.1.1、15.0.8（2）条（款）为强制性条文，必须严格执行。原《水泥工厂余热发电设计规范》GB 50588—2010 同时废止。

本标准在住房城乡建设部门户网站（www.mohurd.gov.cn）公开，并由我部标准定额研究所组织中国计划出版社出版发行。

中华人民共和国住房和城乡建设部
2017 年 8 月 31 日

前 言

本标准是根据住房城乡建设部《关于印发〈2015年工程建设标准规范制订、修订计划〉的通知》(建标〔2014〕189号)的要求,由中材节能股份有限公司会同有关单位共同修订完成的。

本标准共分19章和1个附录,主要内容包括总则、术语、基本规定、余热资源、热力系统与装机规模、总平面布置、主厂房、余热锅炉及系统、汽轮机设备及系统、给水排水及设施、水处理设备及系统、信息系统、电力系统、电气设备及系统、热工自动化、采暖通风与空气调节、建筑结构、环境保护、劳动安全与职业卫生、辅助及附属设施等。

本次修订根据《水泥工厂余热发电设计规范》GB 50588—2010施行以来的反馈信息,对相关章节进行了全面修订,并增加了信息系统、环境保护、劳动安全与职业卫生等章节。

本标准中以黑体字标志的条文为强制性条文,必须严格执行。

本标准由住房城乡建设部负责管理和对强制性条文的解释,由国家建筑材料工业标准定额总站负责日常管理,由中材节能股份有限公司负责具体技术内容的解释。本标准在执行过程中,如发现需要修改或补充之处,请将意见和建议寄交中材节能股份有限公司(地址:天津市北辰区龙洲道1号,北辰大厦C座20层;邮政编码:300400)。

本标准主编单位、参编单位、主要起草人和主要审查人:
  主 编 单 位:中材节能股份有限公司
  参 编 单 位:武汉建筑材料设计研究院有限公司
       南京凯盛开能环保能源有限公司
       扬州高标机械有限公司

主要起草人: 遇广堃　董兰起　魏连友　祝　强　严素玲
　　　　　　　高连海　王彩霞　胡希栓　徐　征　蒋　伟
　　　　　　　侯宾才　方　明　李慧谦　吴有还　孙明兰
　　　　　　　张红娜　王立群　赵　赫
主要审查人: 曾学敏　施敬林　陆秉权　丁奇生　彭　岩
　　　　　　　王大千　陈　园　文柏鸣　杨铁荣

目　次

1 总　　则 …………………………………………………………（ 1 ）
2 术　　语 …………………………………………………………（ 2 ）
3 基本规定 …………………………………………………………（ 3 ）
4 余热资源、热力系统与装机规模 ………………………………（ 4 ）
　4.1 余热资源 ……………………………………………………（ 4 ）
　4.2 热力系统及装机方案 ………………………………………（ 4 ）
5 总平面布置 ………………………………………………………（ 5 ）
　5.1 一般规定 ……………………………………………………（ 5 ）
　5.2 主要建(构)筑物的布置 ……………………………………（ 5 ）
　5.3 站区道路 ……………………………………………………（ 6 ）
　5.4 管线布置 ……………………………………………………（ 6 ）
6 主厂房 ……………………………………………………………（ 8 ）
　6.1 一般规定 ……………………………………………………（ 8 ）
　6.2 主厂房布置 …………………………………………………（ 8 ）
　6.3 检修设施 ……………………………………………………（ 8 ）
　6.4 综合设施 ……………………………………………………（ 9 ）
7 余热锅炉及系统 …………………………………………………（ 10 ）
　7.1 一般规定 ……………………………………………………（ 10 ）
　7.2 余热锅炉设备 ………………………………………………（ 10 ）
　7.3 余热锅炉与水泥生产线的连接 ……………………………（ 10 ）
8 汽轮机设备及系统 ………………………………………………（ 12 ）
　8.1 一般规定 ……………………………………………………（ 12 ）
　8.2 给水系统及给水泵 …………………………………………（ 12 ）
　8.3 除氧器及给水箱 ……………………………………………（ 13 ）

· 1 ·

8.4	凝结水系统及凝结水泵	(13)
8.5	凝汽器及其辅助设施	(13)
9	给水排水及设施	(14)
9.1	一般规定	(14)
9.2	供水系统	(14)
9.3	冷却构筑物和冷却水泵	(14)
10	水处理设备及系统	(16)
10.1	原水预处理及循环冷却水处理	(16)
10.2	锅炉补给水处理	(16)
10.3	给水、炉水校正处理及热力系统汽水取样	(17)
11	信息系统	(18)
12	电力系统	(19)
13	电气设备及系统	(20)
13.1	电气主接线	(20)
13.2	站用电系统	(20)
13.3	站用电力室与主控制室布置	(21)
13.4	直流系统	(21)
13.5	电气测量仪表、继电保护装置	(22)
14	热工自动化	(23)
14.1	一般规定	(23)
14.2	控制方式	(23)
14.3	热工检测与自动调节	(23)
14.4	联锁	(24)
14.5	电源	(24)
15	采暖通风与空气调节	(25)
16	建筑结构	(27)
16.1	一般规定	(27)
16.2	防火、防爆与安全疏散	(28)
16.3	建筑、结构设计	(29)

17 环境保护 ……………………………………………	(30)
18 劳动安全与职业卫生 ……………………………	(31)
19 辅助及附属设施 …………………………………	(32)
附录 A 余热发电和水泥生产线建(构)筑物的火灾危险性 类别、耐火等级及最小防火间距 …………………	(33)
本标准用词说明 ………………………………………	(36)
引用标准名录 …………………………………………	(37)
附:条文说明 …………………………………………	(39)

Contents

1 General provisions .... (1)
2 Terms .... (2)
3 Basic requirements .... (3)
4 Waste heat resource, thermodynamic system and installed capacity .... (4)
    4.1 Waste heat resource .... (4)
    4.2 Thermodynamic circulation system and installation scheme .... (4)
5 General layout .... (5)
    5.1 General requirements .... (5)
    5.2 Layout of main buildings (or structures) .... (5)
    5.3 Road of power station .... (6)
    5.4 Pipeline arrangement .... (6)
6 Main building .... (8)
    6.1 General requirements .... (8)
    6.2 Layout of main building .... (8)
    6.3 Overhaul facility .... (8)
    6.4 Comprehensive facility .... (9)
7 Waste heat boiler and system .... (10)
    7.1 General requirements .... (10)
    7.2 Waste heat boiler equipment .... (10)
    7.3 The connection of waste heat boiler and cement production line ... (10)
8 Turbine equipment and system .... (12)
    8.1 General requirements .... (12)
    8.2 Water supply system and feed water pump .... (12)

8.3　Deaerator and feed-tank ……………………………… (13)

8.4　Condensing water system and condensate pump ………… (13)

8.5　Steam condenser and its auxiliary equipment ……………… (13)

9　Water supply and drainage system and its facility …… (14)

9.1　General requirements ……………………………………… (14)

9.2　Water supply system ……………………………………… (14)

9.3　Cooling structure and water pump ……………………… (14)

10　Water treatment equipment and system ………………… (16)

10.1　Pretreatment of raw water and circulating water cooling treatment …………………………………………… (16)

10.2　Boiler make-up water treatment ……………………… (16)

10.3　Calibration treatment of feed water and boiler water and the thermal system steam water sampling ………………… (17)

11　Information system ………………………………………… (18)

12　Electric power system …………………………………… (19)

13　Electrical equipment and system ………………………… (20)

13.1　Bus configurations ……………………………………… (20)

13.2　Power self-consumption system ……………………… (20)

13.3　Layout of station electrical room and central control room … (21)

13.4　DC system ……………………………………………… (21)

13.5　Electrical measurement meter and relay protection devices ……………………………………… (22)

14　Thermal automation ……………………………………… (23)

14.1　General requirements …………………………………… (23)

14.2　Control mode …………………………………………… (23)

14.3　Thermal parameter measurement and automatic regulation ………………………………………………… (23)

14.4　Interlock …………………………………………………… (24)

14.5　Power supply …………………………………………… (24)

15　Heating, ventilation and air conditioning .... (25)
16　Building structure .... (27)
　16.1　General requirements .... (27)
　16.2　Fire-fighting, explosion prevention and safe evacuation ... (28)
　16.3　Design of building and structure .... (29)
17　Environmental protection .... (30)
18　Labor safety and occupational health .... (31)
19　Ancillary and auxiliary facility .... (32)
Appendix A　The fire hazard class, fire rating and minimum prevention distance of buildings (or structures) in waste heat power generation and cement production line .... (33)
Explanation of wording in this standard .... (36)
List of quoted standards .... (37)
Addition: Explanation of provisions .... (39)

1 总 则

1.0.1 为规范水泥工厂余热发电工程设计，做到安全可靠、技术先进、节能环保，制定本标准。

1.0.2 本标准适用于新建、改建、扩建新型干法水泥生产线余热发电工程的设计。

1.0.3 水泥生产线余热发电系统设计，应符合国家产业政策和现行国家标准《水泥工厂设计规范》GB 50295 和《水泥工厂节能设计规范》GB 50443 的有关规定。

1.0.4 当余热发电工程含有热电联供时，相关部分设计应符合现行国家标准《小型火力发电厂设计规范》GB 50049 的有关规定。

1.0.5 水泥工厂余热发电工程的环境保护、劳动安全和职业卫生设计，应符合现行国家标准《水泥工厂环境保护设计规范》GB 50558 及《水泥工厂职业安全卫生设计规范》GB 50577 的有关规定。

1.0.6 水泥工厂余热发电工程设计除应符合本标准外，尚应符合国家现行有关标准的规定。

2 术 语

2.0.1 余热利用 waste heat recovery(WHR)
以环境温度为基准,对生产过程中排出的余热进行回收利用的系统。

2.0.2 余热发电 waste heat power generation(WHG)
利用水泥生产过程中排出的余热进行发电。

2.0.3 窑头余热锅炉 air quenching cooler boiler(AQC boiler)
利用窑头熟料冷却机排出的废气余热生产热水、蒸汽等工质的换热装置,简称 AQC 锅炉。

2.0.4 窑尾余热锅炉 suspend preheater boiler(SP boiler)
利用窑尾预热器排出的废气余热生产热水、蒸汽等工质的换热装置,简称 SP 或 PH 锅炉。

2.0.5 旁路放风余热锅炉 bypass boiler(BP boiler)
利用窑尾旁路放风废气余热生产热水、蒸汽等工质的换热装置,简称 BP 锅炉。

2.0.6 热电联供 combined heat and power
余热发电在生产电能的同时,还可以热水或蒸汽的方式对外供热。

2.0.7 主厂房 main building
汽轮发电机间以及相应车间组成的联合厂房。

2.0.8 闪蒸器 flasher
具有一定温度和压力的热水,由于压力降低使热水变为一定压力下的饱和蒸汽和饱和水的容器。

2.0.9 解列 disconnection
余热锅炉与水泥生产线脱离运行的过程。

2.0.10 自用电率 percentage of auxiliary power
余热发电系统自用电量总和与总发电量之比。

3 基 本 规 定

3.0.1 余热发电应利用水泥生产工艺不再利用的余热。

3.0.2 余热发电工程设计原则应符合下列规定：

    1 余热发电工程不应影响水泥生产正常运行；

    2 余热发电工程不应提高熟料可比综合能耗和降低熟料产量；

    3 余热发电工程宜在水泥生产线达产稳定运行后，对运行工况进行热工标定或调查后实施；

    4 当与水泥生产线同步建设时，废气参数可按已投产、条件相近的余热发电系统参数与水泥工艺设计参数确定；

    5 原有水泥生产线增加余热发电系统时，应核算生产线中相关设备能力。

3.0.3 余热发电设计指标应符合表3.0.3的规定。

表3.0.3 余热发电设计指标(%)

指标 水泥熟料生产线规模(W)	系统热效率	自用电率	相对于窑的运转率
$2000t/d \leqslant W < 4000t/d$	$\geqslant 20.0$	$\leqslant 9$	$\geqslant 98$
$W \geqslant 4000t/d$	$\geqslant 22.0$	$\leqslant 8$	$\geqslant 98$

3.0.4 余热发电系统自动化控制水平不应低于水泥生产线，余热发电系统的相关工艺参数应与水泥生产线控制系统进行通信。

3.0.5 余热发电系统消防设计应符合现行国家标准《火力发电厂与变电站设计防火规范》GB 50229 的有关规定。

4 余热资源、热力系统与装机规模

4.1 余热资源

4.1.1 余热发电系统设计应根据水泥生产工艺要求,并应根据余热梯级利用的原则,确定合理的余热资源量。

4.1.2 水泥生产线热工标定及余热资源计算应符合现行国家标准《水泥回转窑热平衡测定方法》GB/T 26282 和《水泥回转窑热平衡、热效率、综合能耗计算方法》GB/T 26281 的有关规定。

4.2 热力系统及装机方案

4.2.1 热力系统应根据废气温度及废气量确定,并应使余热利用率最大化。

4.2.2 余热锅炉蒸汽参数应根据废气温度及风量确定,热力系统参数应根据余热条件、汽轮机内效率等因素确定。

4.2.3 当利用同一厂区 2 条水泥生产线的余热时,可选用 1 台汽轮机机组。当产量较低的 1 条水泥窑余热锅炉产汽量低于机组额定进汽量30%时,宜选用 2 台汽轮机机组。当利用同一厂区 3 条或 3 条以上水泥生产线的余热时,宜选用 2 台或 2 台以上汽轮机机组。

5 总平面布置

5.1 一般规定

5.1.1 总平面设计除应符合现行国家标准《水泥工厂设计规范》GB 50295 的有关规定外,还应符合下列规定:

  1 水泥生产线改建、扩建工程的余热发电车间应结合生产系统统筹规划,并应合理利用现有设施、减少拆迁和施工对水泥生产的影响;

  2 余热发电车间与水泥生产线的衔接应紧凑、合理,功能分区应明确;

  3 电站的建筑形式宜与水泥工厂的建筑风格相协调。

5.1.2 余热发电主厂房宜布置在现有生产线的预留扩建侧。

5.1.3 站区竖向布置标高、形式与排水设计,应与水泥工厂总平面布置、竖向设计、雨水排除设计相协调。

5.1.4 余热发电区域的绿化布置应符合下列规定:

  1 当余热发电与水泥生产线同步建设时,绿化设计应统一规划;

  2 当余热发电为改建、扩建工程时,车间周围的绿化设计应与水泥工厂绿化相协调。

5.1.5 建(构)筑物的耐火等级及最小防火间距应根据生产过程中的火灾危险性确定,各建(构)筑物之间的最小防火间距应符合现行国家标准《建筑设计防火规范》GB 50016、《水泥工厂设计规范》GB 50295 的有关规定,并应满足本标准附录 A 的规定。

5.2 主要建(构)筑物的布置

5.2.1 主厂房布置应符合下列规定:

1 主厂房位置应根据水泥生产线外部汽、水管线、道路条件及并网接入点等因素综合确定；

2 当同一厂区拥有 3 条及 3 条以上水泥窑时,经采取技术措施后,主蒸汽管线压力降仍超过 0.2MPa 或温降超过 20℃时,宜分设主厂房。

5.2.2 冷却塔或喷水池,不宜布置在室外配电装置、主厂房及主干道主导风向的上风侧。

5.3 站区道路

5.3.1 站区道路布置应符合下列规定：

1 站区道路应满足生产、安装检修和消防要求,并应与绿化、管线、竖向布置相协调,应与厂内道路平顺简捷连接,路型、路面结构应与厂区协调一致；

2 消防车道设置应符合现行国家标准《建筑设计防火规范》GB 50016 的有关规定。

5.3.2 站区道路设计应符合下列规定：

1 为站区服务的支道可采用单行车道,道宽应为 4.0m～5.0m,道路净空高度不应低于 4.50m,最小曲率半径（道路弧线内边线）不宜小于 15.0m,路肩宽度应为 0.75m～1.5m；

2 车间引道道宽应为 4.0m,最小曲率半径（道路弧线内边线）应为 6.0m；人行道的宽度不宜小于 1.0m；

3 站区道路及车间引道最大纵坡不应超过 9%；

4 路面标高应与厂区竖向设计及雨水排除相适应。公路型道路标高应与附近场地标高相协调。城市型道路路面标高应低于附近车间室外散水坡脚标高,并应满足室外场地排水要求。

5.4 管线布置

5.4.1 热力管道可与水泥工艺管道同管廊、管架敷设；当管线综合布置发生矛盾时,处理方式应符合现行国家标准《工业企业总平面设计规范》GB 50187 的有关规定。

5.4.2 当地下管线布置在路面范围以内时，管线应经技术经济比较后确定直埋或地沟敷设。

5.4.3 架空管线布置应符合下列规定：

  1 应利用水泥生产线建（构）筑物；

  2 不应妨碍交通、检修及建筑物自然采光和自然通风，应做到整齐美观；

  3 架空管线宜与地下管线对应布置。

5.4.4 地下管线水平净距，地下管线、架空管线与建（构）筑物之间的水平净距，地下管线之间或地下管线与铁路、道路交叉的垂直净距，应根据工程地质、构架基础形式、检查井结构、管线埋深、管道直径和管内介质等确定，且最小净距均应符合现行国家标准《水泥工厂设计规范》GB 50295 的有关规定。

5.4.5 改、扩建工程管线综合布置，不应妨碍现有管线正常使用。地下管线的间距应符合现行国家标准《水泥工厂设计规范》GB 50295 的有关规定。

6 主 厂 房

6.1 一般规定

6.1.1 主厂房内部布置应为运行安全、操作方便创造条件,并应做到巡回检查通道畅通。厂房通风、采光、照明和噪声控制,应符合现行国家标准《工业建筑供暖通风与空气调节设计规范》GB 50019、《建筑采光设计标准》GB 50033、《建筑照明设计标准》GB 50034 和《工业企业噪声控制设计规范》GB/T 50087 的有关规定。

6.1.2 主厂房内应设置检修起吊设施和检修场地,并应设置设备和部件检修运输通道。

6.1.3 车间内部布置应根据热机、电气、土建、水工、热控、暖通等专业设计布置要求以及扩建条件等因素确定,预留扩建厂房宜与原有厂房协调一致。

6.2 主厂房布置

6.2.1 主厂房各层标高应符合下列规定:

　　1 主控制室和汽轮发电机组运转层宜设置在同一层面;

　　2 除氧器、闪蒸器水箱的水位标高应满足锅炉给水泵进口不发生汽化的要求;

　　3 起重机轨顶标高应满足汽轮机及发电机安装及检修的起吊空间要求,并应结合规划建设机组确定。

6.2.2 主厂房柱距和跨度应根据汽轮机容量、形式和布置方式,规划建设容量确定,柱距应满足建筑设计统一模数的要求。

6.3 检修设施

6.3.1 汽轮机房底层的安装检修场地,应满足检修吊装最大件和翻缸要求。

6.3.2 汽轮机房内起重机设置应符合下列规定：

    1 双层布置的汽轮机房内应设置检修用电动桥式起重机，起重机的轨顶标高，应按起吊设备中最大的起吊高度确定；

    2 起重机的起重量应根据检修起吊最重件以及规划建设机组的规模确定。

6.3.3 起重机起吊受限的设备，设备顶部应设置检修设施。

6.3.4 汽轮机房运转层，应留有利用桥式起重机抽出发电机转子的场地和空间。汽轮机房的底层，应留有抽、装、清洗凝汽管的场地和空间。

6.4 综合设施

6.4.1 主厂房内管道阀门布置应方便检查和操作。阀门经常操作维护且人员难以到达的部位，应设置平台、楼梯，或设置可引至操作区域的阀门传动机构。

6.4.2 主厂房内通道和楼梯设置应符合下列规定：

    1 汽轮机房零米层和运转层平面，汽轮机两侧应设有贯穿直通的纵向通道，通道宽度不应小于1.0m；兼作疏散通道时，通道净宽不应小于1.4m；

    2 双层布置并设有中间层的汽轮机运转层至底层平面应设上下联系楼梯。

6.4.3 主厂房内的地下沟道、地坑、电缆隧道应设有防水、排水设施。

6.4.4 主厂房内应设有卫生间，汽轮机间零米层应设置冲洗设施和排水沟。

6.4.5 汽轮机间外应就近设置事故储油箱或储油池，储油箱或储油池的有效容积应大于系统总油量。

7 余热锅炉及系统

7.1 一般规定

7.1.1 余热锅炉与烧成系统连接时应设置旁通烟风管道。

7.1.2 余热发电汽水管路的设计应保证任何一台余热锅炉能从发电系统中迅速解列。

7.1.3 余热锅炉应布置在废气热源附近。

7.1.4 余热锅炉进口、出口烟风道及旁通管道上应设置控制阀门。

7.1.5 余热锅炉厂房布置形式应根据当地室外气象条件确定,并应符合下列规定:

    1 非寒冷地区应采用露天布置;

    2 一般寒冷地区可采用露天布置,导压管、排污管等易冻损部位应采取伴热措施;

    3 严寒地区的余热锅炉不宜采用露天布置。

7.2 余热锅炉设备

7.2.1 窑头余热锅炉及废气管道易磨损部位、阀门应采取防磨损措施,窑尾余热锅炉应设置清灰装置。

7.2.2 窑头余热锅炉的漏风系数不应大于1.5%,窑尾余热锅炉的漏风系数不应大于2.5%。

7.3 余热锅炉与水泥生产线的连接

7.3.1 余热锅炉进口、出口烟风气管道的设计应简捷顺畅、附件少、气密性高和具有较好的空气动力特性,并应符合下列规定:

    1 窑头废气管道风速不宜大于12m/s,窑尾废气管道风速不

宜大于 18m/s;

2 烟风管道倾角应符合表 7.3.1 的规定,当不能满足规定时,应设置防积灰装置;

3 与设备连接的管道设计应满足设备对振动、热膨胀、荷载等要求;

4 管道支架设置应稳妥可靠。

表 7.3.1 烟风管道倾角

气流方向 烟风管道名称	上 行	下 行
窑头余热锅炉烟风管道	≥45°	≥40°
窑尾余热锅炉烟风管道	≥50°	≥45°

7.3.2 窑头余热锅炉前应设置废气粉尘分离装置。

7.3.3 余热锅炉的废气管道应进行应力计算。

8 汽轮机设备及系统

8.1 一般规定

8.1.1 余热发电机组容量应根据余热资源条件,在保证水泥窑正常生产、提高热力系统整体循环热效率的前提下确定。

8.1.2 汽轮机宜采用凝汽式机组。

8.1.3 汽轮机机组可在额定负荷的30%～110%范围内运行,并应在额定负荷50%以上连续稳定运行。

8.1.4 当有2台或2台以上汽轮机组时,主蒸汽管道宜采用切换母管制系统。

8.2 给水系统及给水泵

8.2.1 余热锅炉给水系统应设置备用给水泵。

8.2.2 给水管道应采用母管制系统,并应符合下列规定:

    1 给水泵吸水侧低压给水母管宜采用分段单母管制系统;

    2 当给水泵出力与锅炉容量不匹配时,给水泵出口母管宜采用分段单母管制系统;当给水泵出力与锅炉容量匹配时,宜采用切换母管制系统;

    3 给水泵出口宜设置再循环管和再循环母管;

    4 备用给水泵吸水管,宜位于给水泵进口母管2个分段阀门之间;出口管道宜位于分段压力母管2个分段阀门之间或接至切换母管上。

8.2.3 锅炉给水泵总容量应保证在任何一台给水泵停用时,其余给水泵的总出力仍能满足全部锅炉额定蒸发量的120%。

8.2.4 给水泵扬程应满足系统最大给水压力要求,并应另加20%的富余量。

8.3 除氧器及给水箱

8.3.1 除氧器总出力应按全部锅炉最大给水量确定。

8.3.2 每台机组宜对应设置1台除氧器;多台相同参数的除氧器宜采用母管制系统。

8.3.3 给水箱总容量应为20min~30min的锅炉最大给水消耗量。

8.4 凝结水系统及凝结水泵

8.4.1 凝结水系统宜采用母管制。

8.4.2 每台汽轮机应设置2台凝结水泵,每台凝结水泵流量应为最大凝结水量的120%。

8.4.3 凝结水泵扬程应满足凝结水系统最大给水压力的要求,并应另加20%的富余量。

8.5 凝汽器及其辅助设施

8.5.1 当凝汽器冷却水有腐蚀性时,凝汽器水室、管板、管束应采用耐腐蚀材质。

8.5.2 凝汽器宜设置清洗装置。

8.5.3 缺水地区可选用空冷式凝汽器。

9 给水排水及设施

9.1 一般规定

9.1.1 余热发电给水排水设计应与水泥生产线给水排水设计统一规划,并应符合现行国家标准《小型火力发电厂设计规范》GB 50049 的有关规定。

9.1.2 技术改造工程余热发电的水源宜在水泥生产线水源的基础上扩容。当另辟水源时,应符合现行国家标准《水泥工厂设计规范》GB 50295 的有关规定。

9.1.3 余热发电生产、生活、消防、给水和排水管网,应与水泥生产线对应的管网相接。

9.1.4 水工建(构)筑物及生产、生活、消防的给排水设计,应符合现行国家标准《水泥工厂设计规范》GB 50295 的有关规定。

9.2 供水系统

9.2.1 余热发电生产用水量应满足发电工艺要求。余热发电生活用水量、绿化与浇洒道路用水量、设计未预见水量,应符合现行国家标准《水泥工厂设计规范》GB 50295 的有关规定。

9.2.2 余热发电供水系统设计应符合现行国家标准《小型火力发电厂设计规范》GB 50049 的有关规定。

9.2.3 附属设备冷却用水应满足设备对水质和水温的要求,冷却水供水系统水质标准应符合现行国家标准《工业循环冷却水处理设计规范》GB/T 50050 的有关规定。

9.2.4 余热发电补给水系统应设置流量计量装置。

9.3 冷却构筑物和冷却水泵

9.3.1 冷却塔塔间距以及与邻近建(构)筑物的距离应符合本标

准附录 A 的规定。

9.3.2 机械通风冷却塔的数量不宜少于 2 台，总冷却水量应满足最大工况下的计算冷却水量的 120% 的要求，冷却塔风机宜选双速电机。

9.3.3 冷却水泵应设置备用泵。

9.3.4 运行的冷却水泵总流量应满足最大工况下冷却水量的 120% 的要求。水泵扬程应满足系统最高阻力的 115% 的要求，水泵电机宜变频控制。

10 水处理设备及系统

10.1 原水预处理及循环冷却水处理

10.1.1 原水处理系统设计应根据全部可利用水源水量、水质全分析资料、水源变化规律确定。原水处理设备出力、处理方式、设施选型与设置，应符合现行国家标准《小型火力发电厂设计规范》GB 50049 的有关规定。

10.1.2 当冷却水系统内和凝汽器水侧有生物生长、腐蚀或结垢的可能时，防垢处理措施应符合现行国家标准《工业循环冷却水处理设计规范》GB/T 50050 的有关规定。

10.2 锅炉补给水处理

10.2.1 锅炉补给水处理系统设计应符合现行国家标准《小型火力发电厂设计规范》GB 50049 的有关规定，并应符合下列规定：

 1 水处理系统出力不应小于热力系统中全部余热锅炉最大蒸发量的 10%；

 2 水箱容积应符合下列规定：

  1）清水箱总有效容积不应小于最大 1 台余热锅炉 2h 额定蒸发量的要求，同时应满足单台水处理设备反洗或清洗 1 次的用水量要求；

  2）中间水箱的总有效容积宜为每套水处理设备 5min 储水量且不小于 $2m^3$；母管制系统宜为水处理设备 15min～30 min 储水量；

  3）除盐（软化）水箱总有效容积不应小于最大 1 台余热锅炉 2h 的最大蒸发量。

10.2.2 锅炉补给水处理车间可布置在主厂房内。

10.3 给水、炉水校正处理及热力系统汽水取样

10.3.1 给水、炉水校正处理系统宜选择在线取样、在线分析、在线监测及自动加药装置,并应设置手动取样装置。

10.3.2 热力系统应设置汽水取样器。汽水取样器布置应符合下列规定:

  1 汽水取样器宜布置在余热锅炉附近,并应便于运行操作人员取样及通行;

  2 露天布置锅炉汽水取样器应有防雨、防冻措施。

11 信息系统

11.0.1 余热发电信息系统应包括管理信息系统、视频监控系统及门禁管理系统,信息系统设计应符合现行国家标准《小型火力发电厂设计规范》GB 50049 的有关规定。

11.0.2 当余热发电与水泥生产线同步建设时,余热发电信息系统应与水泥生产线统一规划。

11.0.3 改建、扩建余热发电工程网络和硬件系统,应与水泥生产线信息系统通信协议一致。

11.0.4 当余热电站分期建设时,信息系统网络和硬件配置应统一规划,并应预留扩容能力。

11.0.5 余热电站宜设置远程监控操作系统。

12 电力系统

12.0.1 接入系统并网点的选择、接线方式及并网联络线回路应符合下列规定：

　　1 余热发电与总降压变电站或厂区配电站应设置并网联络线；发电机组与电力系统的接入点宜选择在总降压变电站低压侧母线段，也可选择在厂区配电站的母线段；联络线的回路数量宜根据发电机组数量确定；

　　2 在发电机出口断路器处应设置并网同期点；

　　3 发电机组解列点可设置在并网联络线的电站侧、总降压变电站侧或厂区配电站侧断路器处。

12.0.2 余热发电启动电源设计宜利用并网联络线，由总降压变电站或厂区配电站并网母线段系统提供。当站用电系统仅为低压负荷时，也可由水泥生产线就近的电力室提供。

12.0.3 电力负荷计算应根据水泥工厂现有及新增生产规模、主要电力负荷的容量、年耗电量、用电负荷组成及性质等基础资料确定。

12.0.4 用电自给率应按余热发电年供电量占水泥生产线年总用电量的百分比计算。

12.0.5 系统继电保护设计应符合现行国家标准《电力装置的继电保护和自动装置设计规范》GB/T 50062 的有关规定。

12.0.6 发电机出口断路器、并网联络线断路器应设置安全自动保护装置。

12.0.7 系统通信及系统远动设计应符合现行国家标准《小型火力发电厂设计规范》GB 50049 的有关规定。

12.0.8 余热发电照明设计应符合现行国家标准《小型火力发电厂设计规范》GB 50049、《建筑照明设计标准》GB 50034 和《水泥工厂设计规范》GB 50295 的有关规定。

13 电气设备及系统

13.1 电气主接线

13.1.1 发电机额定电压应符合下列规定：

　　1 发电机电压传输为直配线时，应根据水泥生产线电力网络发电机并网点的电压等级确定；

　　2 发电机与变压器组为单元连接时，宜根据水泥生产线电力网络中压系统电压等级确定。

13.1.2 发电机电压母线接线方式应根据余热发电机组数量确定，并宜符合下列规定：

　　1 当发电机为1台时，宜采用单母线接线；

　　2 当发电机为2台及以上时，宜采用单母线分段接线。

13.1.3 当发电机电压母线短路电流超过总降压变电站或厂区配电站断路器额定开断电流时，可在联络线出口开关处设置限流装置。

13.2 站用电系统

13.2.1 发电机出线电压等级应与水泥工厂一致。

13.2.2 站用变压器容量应按机组数量确定，并宜符合下列规定：

　　1 余热发电为单台机组时，可选用1台站用变压器，变压器负荷率不宜超过80%；

　　2 余热发电为2台机组及以上时，可选用2台站用变压器，并宜符合下列规定：

　　　　1）当2台变压器采用暗备用方式配设时，每台变压器的负荷率不宜超过50%；

　　　　2）当2台变压器采用明备用方式配设时，备用变压器的负荷率不宜超过80%。

13.2.3 站用变压器接线组别的确定,应使站用电源与备用电源之间的相位一致。

13.2.4 当余热锅炉距站用电力室较远时,余热锅炉的电源宜取自水泥生产线就近的电力室。

13.3 站用电力室与主控制室布置

13.3.1 站用电力室宜布置在主厂房内,高、低压配电设备可合并布置在同一电力室内。高压配电设备与低压配电设备之间应满足安全绝缘距离。配电柜之间应留有操作、检修距离以及巡检通道。

13.3.2 主控制室布置应符合下列规定:
    1 主控制室位于主厂房汽轮机运转层,主控制室面积应按机组规划容量设计;
    2 主控制室盘柜布置应满足运行、维护和操作要求。

13.3.3 主控制室环境设施应符合下列规定:
    1 主控制室面向汽轮机组一侧宜设置观察窗;
    2 主控制室内应有采暖(制冷)、通风、照明、隔声、隔热、防火、防尘、防水等设施;
    3 主控制室内不得布置汽、水管道;
    4 电缆夹层或电缆主通道不得布置汽、水管道和油管道;
    5 主控制室上层不宜设置产生振动的设备。

13.4 直流系统

13.4.1 直流系统设计应符合现行国家标准《小型火力发电厂设计规范》GB 50049 的有关规定。

13.4.2 直流电源装置应为双电源380V/220V输入,并应设置双电源自动切换装置,宜采用高频开关电源装置;直流电源宜采用1组铅酸免维护蓄电池,并宜配置2组充电、浮充电设备,同时每只电池应具备在线自动监测功能,站用电事故停电时间应按 1h

计算。

13.4.3 直流输出应设置合闸母线和控制母线,控制母线应具有自动调压功能,输出电压宜为220V或110V。

13.4.4 高压开关柜合闸电源、直流润滑油泵动力电源、事故照明电源、励磁合闸电源、远动柜直流动力电源均应引自合闸母线,电站系统直流控制电源均应引自控制母线。

13.4.5 直流动力电源及控制电源开关应选用直流型微型断路器或直流型塑壳断路器,断路器额定电流应按各回路容量确定。

13.5 电气测量仪表、继电保护装置

13.5.1 电气测量仪表设计应符合现行国家标准《电力装置电测量仪表装置设计规范》GB/T 50063的有关规定。

13.5.2 设置在并网计量关口的双向计量电能表、电流互感器(CT)的精度应为0.2s级,电压互感器(PT)的精度应为0.2级。

13.5.3 继电保护和安全自动装置设计应符合现行国家标准《电力装置的继电保护和自动装置设计规范》GB/T 50062的有关规定。

13.5.4 电缆选择与敷设的设计应符合现行国家标准《电力工程电缆设计规范》GB 50217的有关规定。

13.5.5 过电压保护和接地装置应符合现行国家标准《交流电气装置的接地设计规范》GB/T 50065的有关规定。

13.5.6 通信应包括余热发电系统与水泥生产线系统的联络通信和余热发电系统内部的生产调度通信。各岗位生产管理和调度增加的通信电话,可利用水泥生产线程控交换总机的富余量。

13.5.7 主控制室应设置与电网调度通信的直拨电话。

13.5.8 爆炸火灾危险环境电气装置设计应符合现行国家标准《爆炸危险环境电力装置设计规范》GB 50058的有关规定。

14 热工自动化

14.1 一般规定

14.1.1 热工自动化设计应包括热工检测、热工报警、热工保护、热工控制。

14.1.2 当余热发电项目分期建设时,控制方式、设备选型、公共辅助生产系统等有关设施应统筹规划。

14.1.3 主控制室热工报警及保护应符合现行国家标准《小型火力发电厂设计规范》GB 50049 的有关规定。

14.1.4 电缆、导管和就地设备布置应符合现行国家标准《小型火力发电厂设计规范》GB 50049 的有关规定。

14.2 控制方式

14.2.1 余热锅炉系统、汽轮机系统、除氧给水系统、循环水系统控制,应采用分布式控制系统(DCS);化学水处理系统等辅助车间的工艺系统宜在本车间控制。

14.2.2 主控制室应符合下列规定:
1 应实现运行工况的监视和控制;
2 应实现异常工况报警和紧急事故处理。

14.2.3 分布式控制系统(DCS)设计应与水泥生产线分布式控制系统(DCS)进行实时通信、数据互传实现联锁及程序控制。

14.3 热工检测与自动调节

14.3.1 热工检测设计应符合现行国家标准《小型火力发电厂设计规范》GB 50049 的有关规定。

14.3.2 分布式控制系统(DCS)设计应对主设备及发电系统运行

工况的主要参数实现显示、累计、储存、数据处理及打印功能。

14.3.3 自动调节系统设置应符合下列规定：
　　1 余热锅炉汽包水位应自动调节；
　　2 汽轮机的主汽压力应自动调节；
　　3 除氧器和闪蒸器的压力应自动调节；
　　4 减温减压器的压力、温度应自动调节；
　　5 保持一定液位运行的容器应自动调节液位。

14.4 联　　锁

14.4.1 热力系统相应辅机的联锁应符合现行国家标准《小型火力发电厂设计规范》GB 50049 的有关规定。

14.4.2 输灰装置与水泥生产线输送设备之间应设置联锁。

14.4.3 余热锅炉烟气进口、出口及旁通烟风道的各电动阀之间应设置联锁。

14.5 电　　源

14.5.1 热工仪表和控制系统应有安全可靠的电源。分布式控制系统(DCS)应采用不间断电源供电。

14.5.2 热工系统电源的配置应符合下列规定：
　　1 热工配电箱应设两路交流 380V/220V 电源进线；
　　2 热工控制盘应设两路交流 220V 电源进线，两路交流电源的进线应分别引自不同的低压站用母线段。

15 采暖通风与空气调节

15.0.1 采暖设计应符合下列规定：
  1 非集中采暖地区有采暖要求时，可设置采暖设施；
  2 设置集中采暖的生产和辅助生产建筑，在非工作时间或中断使用期间，值班采暖宜按5℃设计。

15.0.2 采暖通风、空气调节室外空气计算参数的选用，应符合现行国家标准《工业建筑供暖通风与空气调节设计规范》GB 50019的有关规定。

15.0.3 余热电站采暖热媒应与水泥工厂一致；当厂区由余热电站供热时，采暖热媒应选用热水。

15.0.4 当由余热电站向厂区采暖供热，且供热系统中仅有1条水泥窑设有余热锅炉时，应设置备用热源；当位于非集中采暖地区设有集中采暖时，可不设置备用热源。

15.0.5 值班场所宜设置空调器。

15.0.6 汽轮机房以外各车间通风设计应根据消除有害气体计算风量，也可按房间换气次数确定。换气次数应符合现行国家标准《水泥工厂设计规范》GB 50295的有关规定。

15.0.7 主控制室、计算机房、工程师站等场所，当自然通风不能满足设备对室内温度、湿度要求时，应设空气调节装置。

15.0.8 站用高、低压开关柜室的通风设计应符合下列规定：
  1 事故通风量，应按换气次数不少于12次/h计算；事故排风机宜兼作通风换气用；
  2 事故通风机电气开关应在室内、室外分别设置，并应设置明显标识。

15.0.9 寒冷地区露天布置的酸、碱储罐应设有伴热保温设施。

15.0.10 加氯间和充氯瓶间,应设有不少于15次/h换气次数的机械排风装置,排风口应设在房间的下部,风机与管材应选用防腐型。

15.0.11 化验室应设置通风装置。

15.0.12 采暖通风设计应符合现行国家标准《水泥工厂设计规范》GB 50295、《小型火力发电厂设计规范》GB 50049 的有关规定。

16 建筑结构

16.1 一般规定

16.1.1 建筑结构设计应满足发电工艺设备布置要求,通道布置应简捷、顺畅。

16.1.2 建筑结构设计应根据环境保护、地区气候特点,满足采光、通风、防寒、隔热、节能、防水、防雨、隔声等要求,并应符合现行国家标准《建筑模数协调标准》GB/T 50002、《厂房建筑模数协调标准》GB/T 50006、《建筑设计防火规范》GB 50016、《水泥工厂设计规范》GB 50295 和《水泥工厂节能设计规范》GB 50443 的有关规定。

16.1.3 主厂房、汽轮发电机基础、余热锅炉平台应设沉降观测点,沉降观测点的设置应符合现行行业标准《建筑变形测量规范》JGJ 8 的有关规定。

16.1.4 汽轮发电机基础应满足设备要求,并应符合现行国家标准《动力机器基础设计规范》GB 50040 的有关规定。

16.1.5 地基基础形式及地基处理方式,应根据地质勘察资料、结构载荷确定。地基的变形及稳定性计算应符合现行国家标准《建筑地基基础设计规范》GB 50007 的有关规定。

16.1.6 汽轮机发电机间吊车梁,应按轻级工作制设计。

16.1.7 建(构)筑物的抗震设防应符合现行国家标准《建筑抗震设计规范》GB 50011 的有关规定,抗震设防分类应符合表 16.1.7 的规定。

表 16.1.7 建(构)筑物抗震设防分类

抗震设防类别	建(构)筑物
重点设防类	主控制室、站用电力室、主厂房
标准设防类	汽轮机间、窑头余热锅炉、窑尾余热锅炉、水泵间、冷却塔、化学水处理车间
适度设防类	除乙、丙类以外的建(构)筑物

16.1.8 余热锅炉建(构)筑物的设计宜符合下列规定：
    1 余热锅炉可利用相邻车间楼梯、通道等设施；
    2 余热锅炉系统烟风管道支架、操作平台等承载，经核算允许，宜利用相邻车间的构筑物。

16.1.9 室内环境、建筑构造与装修、生活与卫生设施、结构选型、结构布置、设计荷载等，应符合现行国家标准《水泥工厂设计规范》GB 50295、《小型火力发电厂设计规范》GB 50049 的有关规定。

16.2 防火、防爆与安全疏散

16.2.1 建(构)筑物构件的燃烧性能和耐火极限，应符合现行国家标准《建筑设计防火规范》GB 50016 的有关规定。

16.2.2 汽轮机头部主油箱及油管道阀门外缘水平 5m 范围内的钢梁、钢柱，应采取防火隔热措施，耐火极限不应低于 1h；主油箱上方的楼板开孔时，开孔水平边缘周围 5m 范围所对应的屋面钢结构承重构件应采取防火隔热保护措施，承重构件耐火极限不应低于 0.5h。

16.2.3 配电室、主控制室等电气间的室内装修应采用不燃烧材料。

16.2.4 厂房安全出口的设计应符合现行国家标准《建筑设计防火规范》GB 50016 的有关规定。

16.2.5 主厂房内工作地点与最近外部出口或楼梯的距离不应超过 50m。

16.2.6 主厂房至少应设 2 部楼梯，其中至少 1 部楼梯应通至各层平面和楼梯所处位置的屋面。主厂房疏散楼梯可为敞开式。

16.2.7 配电室内最远点与疏散出口的直线距离应符合现行国家标准《火力发电厂与变电站设计防火规范》GB 50229 的有关规定。

16.2.8 控制室、电缆夹层的安全出口不应少于 2 个，当建筑面积小于 60m² 时可设 1 个。

16.2.9 配电室、电缆夹层、控制室门的设计应符合现行国家标准

《火力发电厂与变电站设计防火规范》GB 50229 的有关规定。

16.2.10 主厂房内疏散走道净宽度不宜小于 1.4m,疏散门净宽度不宜小于 0.9m。

16.2.11 主控制室内装修应符合现行国家标准《建筑内部装修设计防火规范》GB 50222 的有关规定。

16.2.12 余热发电系统的其他防火设计应符合现行国家标准《建筑设计防火规范》GB 50016 和《火力发电厂与变电站设计防火规范》GB 50229 的有关规定。

16.3 建筑、结构设计

16.3.1 建筑物的节能设计应符合现行国家标准《水泥工厂节能设计规范》GB 50443 的有关规定。余热发电主厂房使用性能、功能特征和节能要求分类,应为 C 类。

16.3.2 屋面设计应符合下列规定:

1 屋面坡度应根据防水面材料、构造及当地气象等条件确定。当为改、扩建工程时,防水面材料与构造的选择宜与水泥生产线建筑一致。当屋面为钢筋混凝土屋面时,单坡跨度大于 9m 的屋面宜做结构找坡,坡度不应小于 3%,当用轻质材料或保温层找坡时,坡度宜为 2%;金属压型板屋面坡度不宜小于 1:10。

2 屋面的结构层及保温层或隔热层应采用非燃烧体材料。设保温层的屋面,应采取防结露措施。

3 高度超过 6m 的建筑物应设上屋面设施。设置垂直爬梯时应设护笼,护笼底部距梯段下端基准面的距离不应大于 2.4m,护笼上端与屋面栏杆高度应一致。

16.3.3 厂房柱网应整齐,并应符合建筑模数要求;平面梁、板布置应规则。

16.3.4 厂房内大型设备基础、整体地坑应与厂房基础分开设置。

17 环境保护

17.0.1 环境保护设计应采取防治废水、粉尘、噪声对环境污染的措施。污染治理措施应满足环境影响报告书及批复意见的要求。

17.0.2 废水处理设计应符合下列规定：

  1 余热发电系统应提高水循环利用率，有中水利用条件的应采用中水作为冷却水的补水；

  2 废水处理后的使用应符合现行国家标准《水泥工厂设计规范》GB 50295 的规定，并应符合下列规定：

    1）酸碱废水应采用中和处理工艺；

    2）含油废水应采用油水分离处理工艺；

    3）生活污水应做生化处理。

17.0.3 余热锅炉收集的粉尘应回送到水泥生产系统，并应采取防止扬尘的措施。

17.0.4 噪声防治应符合下列规定：

  1 余热发电产生的噪声对周边环境的影响应符合现行国家标准《工业企业厂界环境噪声排放标准》GB 12348 的有关规定；

  2 噪声防治应选择符合国家噪声控制标准的设备；

  3 对生产过程中产生的噪声应采取有效控制措施。

18 劳动安全与职业卫生

18.0.1 劳动安全与职业卫生应贯彻"安全第一、预防为主、综合治理"的设计方针，相关设施应与主体工程同时设计、同时施工、同时投入使用。

18.0.2 劳动安全设计应符合下列规定：

　　1 应对危险因素进行分析、划分危险区域并采取相应防护措施；

　　2 设备裸露的运动部分，应设有结构可靠的安全防护措施。工作场所的孔、洞、沟道、邻边、平台等有坠落危险处，应设置盖板或防护栏杆并加警示标志；

　　3 表面温度大于50℃的设备和管道，应对人员容易接触到的位置采取防护措施，并应设置警示标志。

18.0.3 职业卫生设计应符合下列规定：

　　1 应对危害因素进行分析，并应采取相应的防护措施；

　　2 对储存和产生腐蚀性物质或产生有害气体的场所，使用含有对身体有害物质的仪器和设备，应设有安全防护设施；防护设施设计应符合国家对工业企业卫生设计及工作场所有害因素职业接触限值的有关规定；

　　3 余热锅炉除灰系统应采取负压密闭运行，工作场所的粉尘浓度控制应符合国家对工作场所有害因素职业接触限值的有关规定；

　　4 防暑、防寒及防潮设计应符合现行国家标准《工业建筑供暖通风与空气调节设计规范》GB 50019的有关规定；

　　5 工作场所有害因素职业接触限值应符合国家对工作场所中化学有害因素、物理有害因素职业接触限值的有关规定。

19 辅助及附属设施

19.0.1 余热发电系统的日常检修应充分利用水泥工厂已有的维修设施及力量;大修应利用社会协作条件,可采取外包或地区协作的方式。

19.0.2 备品备件储存宜纳入水泥工厂统一管理。

19.0.3 余热发电设备、管道保温和油处理设计,应符合现行国家标准《小型火力发电厂设计规范》GB 50049 的有关规定。

19.0.4 当项目为技改工程时,余热发电设计前应对水泥生产线进行评估,对影响余热利用部分应进行改造。

附录 A 余热发电和水泥生产线建(构)筑物的火灾危险性类别、耐火等级及最小防火间距

表 A 余热发电和水泥生产线建(构)筑物的火灾危险性类别、耐火等级及最小防火间距

			序号	1	2	3	4	5	6	7	8	9	10	11	12	13	14	15	16	17	18	19	20	21
			生产火灾危险性类别	丁	丙	戊	戊	戊	戊	丁	丁	丁	戊	戊	戊	乙	丙	丁	丙	丙	丙	—	—	—
			最低耐火等级	二	二	二	二	二	二	二	二	二	二	二	二	二	二	二	二	二	二	—	—	—
		建(构)筑物名称		余热发电系统									水泥生产线						辅助生产设施					
			建(构)筑物名称	主厂房(自用电)	自然通风冷却塔	自然通风冷却塔	机力通风冷却塔	循环水泵房	化学水处理车间	窑头余热锅炉	窑尾余热锅炉	旁路放风余热锅炉	原料预均化堆场	钢筋混凝土圆库	原料、水泥粉磨	煤粉制备	窑头点火油库	熟料储存库	总降压变电站	车间变电所	中央控制室	车间办公室	厂内道路	厂内铁路
生产火灾危险性类别	最低耐火等级	序号	间距(m) 建(构)筑物名称																					
丁	二	1	旁路放风	10	12	25	20	10	10	10	10	—	10	10	10	13	12	10	15	10	10	10	6	9
丁	二	2	窑尾余热锅炉	10	12	25	20	10	10	10	—	10	10	10	10	13	12	10	15	10	10	10	6	9

续表 A

序号	生产火灾危险性类别	最低耐火等级	建(构)筑物名称	余热发电系统									水泥生产线						辅助生产设施					
				站用电力室主厂房	自然通风冷却塔	机力通风冷却塔	循环水泵房	化学水处理车间	窑头余热锅炉	窑尾余热锅炉	旁路放风余热锅炉	原料预均化堆场	钢筋混凝土圆库	原料、水泥粉磨	煤粉制备	窑头点火油库	熟料储存库	总降压变电站	车间变电所	中央控制室	车间办公室	厂内道路	厂内铁路
3	丁	二	窑头余热锅炉	10	25	20	10	10	—	10	10	10	10	10	13	12	10	15	10	10	10	6	9
4	戊	二	化学水处理车间	10	25	20	10	—	10	10	10	10	10	10	10	10	10	10	10	10	10	6	9
5	戊	二	循环水泵房	10	25	20	—	10	10	10	10	10	10	10	10	10	10	10	10	10	10	6	9
6	戊	二	自然通风冷却塔	20	15	—	20	20	20	20	20	20	20	20	20	20	20	20	20	20	20	10	15
7	戊	二	机力通风冷却塔	25	—	15	25	25	25	25	25	25	25	25	25	25	25	25	25	25	25	15	25
8	丙	二	站用电力室	10	25	20	10	10	10	10	10	10	10	10	12	12	10	15	12	10	12	6	6

续表 A

序号	生产火灾危险性类别	最低耐火等级	建(构)筑物名称 / 间距(m) / 建(构)筑物名称	余热发电系统 主厂房	站用电配电室	自然通风冷却塔	机力通风冷却塔	循环水泵房	化学水处理车间	窑头余热锅炉	窑尾余热锅炉	旁路放风余热锅炉	水泥生产线 原料均化堆场	钢筋混凝土圆库	原料、水泥粉磨	煤粉制备	窑头点火油库	熟料储存库	辅助生产设施 总降压变电站	车间变电所	中央控制室	车间办公室	厂内道路	厂内铁路
9	丁	二	主厂房	—	10	25	20	10	10	10	10	10	10	10	10	12	10	12	15	12	10	12	6	9

注:
1 防火间距应按相邻两建(构)筑物外墙的最近距离计算;
2 建(构)筑物与厂内道路的防火间距,应按建(构)筑物外墙至道路近端边缘计算;
3 建(构)筑物与厂内铁路的防火间距,应按建(构)筑物外墙至铁路中心线计算;
4 最小防火间距按其中火灾危险性类别最大的部分确定;
5 主厂房含电站主控制室,主控制室其中火灾危险性类别应按丙类;
6 当采暖室外计算温度为−20℃以下地区时,冷却设施与建(构)筑物的间距,应按表列数值增加25%;
7 天桥的生产火灾危险性类别:煤粉输送应为乙类,煤粉输送应为丙类,其他应为戊类;物料输送天桥的最低耐火等级应为三级,行人天桥的最低耐火等级应为二级;
8 当改建、扩建工程的车间防火间距不符合本表规定时,应按现行国家标准《建筑设计防火规范》GB 50016 的有关要求采取相应措施;
9 喷水池距户外变压器应为50m~80m,距露天煤堆场应为50m,距其他建(构)筑物应为30m。

本标准用词说明

1 为便于在执行本标准条文时区别对待,对要求严格程度不同的用词说明如下:
　1)表示很严格,非这样做不可的:
　　正面词采用"必须",反面词采用"严禁";
　2)表示严格,在正常情况下均应这样做的:
　　正面词采用"应",反面词采用"不应"或"不得";
　3)表示允许稍有选择,在条件许可时首先应这样做的:
　　正面词采用"宜",反面词采用"不宜";
　4)表示有选择,在一定条件下可以这样做的,采用"可"。

2 条文中指明应按其他有关标准执行的写法为:"应符合……的规定"或"应按……执行"。

引用标准名录

《建筑模数协调标准》GB/T 50002
《厂房建筑模数协调标准》GB/T 50006
《建筑地基基础设计规范》GB 50007
《建筑抗震设计规范》GB 50011
《建筑设计防火规范》GB 50016
《工业建筑供暖通风与空气调节设计规范》GB 50019
《建筑采光设计标准》GB 50033
《建筑照明设计标准》GB 50034
《动力机器基础设计规范》GB 50040
《小型火力发电厂设计规范》GB 50049
《工业循环冷却水处理设计规范》GB/T 50050
《爆炸危险环境电力装置设计规范》GB 50058
《电力装置的继电保护和自动装置设计规范》GB/T 50062
《电力装置电测量仪表装置设计规范》GB/T 50063
《交流电气装置的接地设计规范》GB/T 50065
《工业企业噪声控制设计规范》GB/T 50087
《工业企业总平面设计规范》GB 50187
《电力工程电缆设计规范》GB 50217
《建筑内部装修设计防火规范》GB 50222
《火力发电厂与变电站设计防火规范》GB 50229
《水泥工厂设计规范》GB 50295
《水泥工厂节能设计规范》GB 50443
《水泥工厂环境保护设计规范》GB 50558
《水泥工厂职业安全卫生设计规范》GB 50577

《工业企业厂界环境噪声排放标准》GB 12348
《水泥回转窑热平衡、热效率、综合能耗计算方法》GB/T 26281
《水泥回转窑热平衡测定方法》GB/T 26282
《建筑变形测量规范》JGJ 8

中华人民共和国国家标准

水泥工厂余热发电设计标准

GB 50588-2017

条 文 说 明

编 制 说 明

《水泥工厂余热发电设计标准》GB 50588—2017，经住房城乡建设部 2017 年 8 月 31 日以第 1665 号公告批准发布。

本标准是在《水泥工厂余热发电设计规范》GB 50588—2010 的基础上修订而成的，上一版的主编单位是国家建筑材料工业标准定额总站、中材节能发展有限公司，参编单位有天津水泥工业设计研究院有限公司、安徽海螺建材设计研究院、中信重工机械股份有限公司、大连易世达新能源发展股份有限公司、南京凯盛水泥技术工程有限公司。主要起草人员是：曾学敏、吴佐民、张富、遇广堃、董兰起、俞为民、魏连友、祝强、高连海、孙树华、许琴、吴涛、孟军、陈圆、彭岩、方亮、侯宾才、屈军、于海。

本标准在修订过程中，编制组对我国水泥工业工艺形式、能耗等主要方面进行了大量的调查研究，总结了我国水泥工厂余热发电工程建设的实践经验，同时参考了国外先进技术法规、技术标准，取得了水泥工厂余热发电方面的重要技术参数。

为便于广大设计、施工、科研、学校等单位有关人员在使用本标准时能正确理解和执行条文规定，《水泥工厂余热发电设计标准》编制组按章节条顺序编制了本标准的条文说明，对条文规定的目的、依据以及执行中需注意的有关事项进行了说明，并着重对强制性条文的强制性理由做了解释。但是，本条文说明不具备与标准正文同等的法律效力，仅供读者作为理解和把握标准规定的参考。

目　次

1 总　　则 …………………………………………………（45）
2 术　　语 …………………………………………………（47）
3 基本规定 …………………………………………………（49）
4 余热资源、热力系统与装机规模 ………………………（55）
　4.1 余热资源 ……………………………………………（55）
　4.2 热力系统及装机方案 ………………………………（55）
5 总平面布置 ………………………………………………（57）
　5.1 一般规定 ……………………………………………（57）
　5.2 主要建(构)筑物的布置 ……………………………（58）
　5.3 站区道路 ……………………………………………（59）
　5.4 管线布置 ……………………………………………（60）
6 主厂房 ……………………………………………………（61）
　6.1 一般规定 ……………………………………………（61）
　6.2 主厂房布置 …………………………………………（61）
　6.3 检修设施 ……………………………………………（62）
　6.4 综合设施 ……………………………………………（63）
7 余热锅炉及系统 …………………………………………（66）
　7.1 一般规定 ……………………………………………（66）
　7.2 余热锅炉设备 ………………………………………（67）
　7.3 余热锅炉与水泥生产线的连接 ……………………（67）
8 汽轮机设备及系统 ………………………………………（69）
　8.1 一般规定 ……………………………………………（69）
　8.2 给水系统及给水泵 …………………………………（70）
　8.3 除氧器及给水箱 ……………………………………（71）
　8.4 凝结水系统及凝结水泵 ……………………………（72）

8.5	凝汽器及其辅助设施	（72）
9	给水排水及设施	（73）
9.1	一般规定	（73）
9.2	供水系统	（73）
9.3	冷却构筑物和冷却水泵	（74）
10	水处理设备及系统	（75）
10.1	原水预处理及循环冷却水处理	（75）
10.2	锅炉补给水处理	（76）
10.3	给水、炉水校正处理及热力系统汽水取样	（77）
11	信息系统	（78）
12	电力系统	（79）
13	电气设备及系统	（81）
13.1	电气主接线	（81）
13.2	站用电系统	（81）
13.3	站用电力室与主控制室布置	（81）
14	热工自动化	（82）
14.1	一般规定	（82）
14.2	控制方式	（82）
14.3	热工检测与自动调节	（83）
14.4	联锁	（83）
15	采暖通风与空气调节	（84）
16	建筑结构	（87）
16.1	一般规定	（87）
16.2	防火、防爆与安全疏散	（88）
16.3	建筑、结构设计	（90）
17	环境保护	（91）
19	辅助及附属设施	（92）

1 总 则

1.0.1 本条体现了国务院批转国家经贸委等部门《关于进一步开展资源综合利用意见通知》(国发〔1996〕36号)、《国务院关于加快发展节能环保产业的意见》(国发〔2013〕30号)的基本要求。要求做到技术创新和科技成果集成、转化能力大幅提高,能源高效和分质梯级利用、污染物防治和安全处置、资源回收和循环利用等关键核心技术研发取得重点突破,装备和产品的质量、性能显著改善,形成一大批拥有知识产权和国际竞争力的重大装备和产品,部分关键共性技术达到国际先进水平。

1.0.3 余热发电是资源综合利用、提高资源有效利用率的主要手段,是国家《清洁生产促进法》、能源政策所提倡的。水泥工厂的余热发电应符合国家产业政策,这些政策有国家发改委等八部委《关于加快水泥工业结构调整的若干意见的通知》,以及《水泥工业产业政策》和《水泥工业发展专项规划》等,要求淘汰落后生产能力、提高新型干法水泥比重、采用带余热发电水泥生产线、"十一五"期间水泥单位产品综合能耗下降25%等。规划中明确提出继续支持大型新型干法水泥,鼓励余热发电项目,一些省市对2000t/d及以上生产线应同步规划余热发电(可分步实施),作为水泥项目的核准依据。因此,作为设计基本原则如废气余热资源的定位、利用要求在本标准第3章有明确的规定。在工程设计方面,为了保证在水泥生产线建成以后较合理地利用废气余热,在水泥生产线的设计中应预留相关系统接口的可能,包括工艺流程、场地、总降变电站、给水系统等,以利在以后建设过程中能顺利进行。

1.0.4 当余热发电为热电联供时,相关部分如热负荷、换热站等与小型火力发电相同,应执行现行国家标准《小型火力发电厂设计规范》GB 50049 的规定。

2 术　　语

2.0.2　水泥生产过程中主要的余热是废气及辐射余热,废气排放有多处,窑头冷却机排出的换热空气,窑尾预热器排出的烟气,窑尾除尘器对外排放的废气,煤磨系统排放的废气等,辐射余热主要是窑炉筒体对外散发的热量。余热发电是指利用水泥生产系统对外排放的余热进行发电。

2.0.6　热电联供作为企业供热的自备电站,其机组容量的确定原则是"以热定电",在某种意义上供热是"主产品",电力是"副产品"。

　　余热发电机组容量是"以余热定电",电力是主产品,副产品可以兼顾供热。关于供热,水泥工厂的热负荷往往不大,如生活用热(洗浴)、北方厂的水泥磨、煤磨收尘器的伴热保温、厂区采暖等,在热力系统设计中采取一些措施是可以兼顾供热的。余热电站中"热电联供"的概念是在生产电能的同时,可用热水或蒸汽向用户常年定时(洗浴)/季节(采暖、伴热保温)供热。

2.0.7　火力发电厂的"主厂房"由汽轮发电机间、锅炉间、煤仓间、除氧间、除尘间、锅炉给水泵间等组成。水泥工厂余热发电由带补燃锅炉技术发展到低温余热发电,其主厂房的叫法也沿用下来,已约定俗成地将汽轮发电机组、除氧间、锅炉给水泵间及同车间内的站用电力室、主控制室等所有车间合称为"主厂房",本标准仍然沿袭传统的称谓,将以发电机组为主的综合厂房称为"主厂房"。

2.0.8　闪蒸就是较高压力的饱和液体进入比较低压力的容器中,由于压力的降低使饱和液体变成容器工作压力下的饱和蒸汽和饱和液体,实现这个过程的容器称为闪蒸器。余热发电中,为了实现对较低温度废气的利用,一般将这部分废气加热汽轮机凝结水,采用闪蒸器产生饱和蒸汽,用于汽轮机的辅助进汽,达到增加发电量的目的。

3 基本规定

3.0.1 新型干法水泥生产线烧成系统的"余热",是指水泥生产系统不再利用的废气热量、辐射热量等。在"余热"利用过程中不能影响生料烘干、煤磨烘干等水泥生产工艺要求,并且不能增加烧成系统热耗。

3.0.2 本条规定了余热发电工程建设的原则。

  2 本款强调余热发电工程的建设不应提高熟料可比综合能耗和降低熟料产量。余热发电的废气利用前提是对水泥生产线设计指标(熟料热耗、熟料产量、熟料电耗)没有负面影响,也就是说不能以提高熟料热耗、电耗和降低熟料产量为代价。

  现行国家标准《水泥工厂节能设计规范》GB 50443—2016 给出了"可比熟料综合能耗"的规定,其定义是"在统计期内生产 1t 熟料消耗的各种能量,经统一修正并折算成标准煤后所得的综合能耗"。这应包括烘干原料、燃料和烧成熟料消耗的燃料、电耗,经统一修正后折算成标准煤,为余热发电的余热利用考核提供了准则。这就意味着因余热发电对水泥生产工艺改造而增加的电耗或热耗,应计入烧成的综合能耗,在计算余热发电的系统热效率时应将增加的电耗或热耗计入余热发电用热量。

  3 余热利用的废气参数的正确确定,关系到余热利用的充分性与可靠性。生产线的烧成系统设计一般是根据原料加工性能试验推荐的方案进行热工计算与选型,但投产后随着原料、燃料的变化和受管理水平、操作习惯的影响,实际运行参数与设计确有差异。故本款规定在水泥生产线建成稳定运行一段时间后进行热工调查,热工调查中通过热工标定取得实际运行参数,再与运行记录进行对照分析后确定余热利用的废气参数与热力系统配置。这样既能使余热得到充分的利用,又能使热力系统合理;既不影响烧成系统的热工稳定,又确保生产的正常运行。其中"热工调查"范围较宽,工作中可视具体情况选择热工标定、局部热工数据测量、历史数据收集分析等方式。

4 本款是针对改建、扩建项目的规定。在原有水泥生产线增加余热利用系统时,因原生产线设计时没有考虑余热利用的因素,因此应对相关设备如窑尾高温风机、窑头风机等的能力进行核算。针对核算结果,如原有设备能力不足时,可采取措施调整余热发电设施的相关参数进行弥补,如减少余热锅炉系统烟气阻力等措施以适应原有设备;当弥补措施不能满足要求时,则应对原有设备进行改造或更换。同时还应对增加余热锅炉后对原水泥生产线的影响进行分析,如对增湿塔、窑尾除尘器、窑头除尘器使用效果的分析,确保原有设备运行正常;如分析结果不能满足生产要求或除尘器的排放标准达不到国标要求时,应采取有效措施满足相关要求。

3.0.3 本条对新建、扩建水泥工厂生产线的余热发电设计指标做出了规定。

根据《国家中长期科学和技术发展规划纲要(2006—2020年)》的要求,主要产品单位能耗指标:2010年总体达到或接近20世纪90年代初期国际先进水平,其中大、中型企业达到21世纪初国际先进水平;2020年达到或接近国际先进水平。本条规定按照这个精神,其余热发电设计指标应有超前意识,但又应是经过努力可以做到的。

关于评价余热发电设计指标,国内、国际上尚无一个明确的标准,但在国内似乎已形成"吨熟料余热发电量"指标代表余热发电技术水平的观念,其实这是误区。

水泥烧成系统的熟料热耗、熟料形成热、原料烘干所需废气温度与热量等对余热发电是有影响的。运用"吨熟料余热发电量"的指标,在熟料产量、熟料热耗、用于发电的废气参数和用于原料、燃料烘干的废气参数条件大体相同的条件下,采用"吨熟料余热发电量"对不同的余热电站技术方案进行初步评价是可行的;当熟料的热耗不同、原料、燃料水分不同(涉及原料、燃料烘干取风温度不同)时,对余热发电的影响是不同的,此时用"吨熟料余热发电量"来衡量余热发电技术的高低是不科学的。利用水泥生产工艺可用的高温气体来发电,实际上是动用了生产工艺用热风来提高发电量,提高了烧成热耗,降低了能源利用率,违背了低温余热发电应遵循的基本原则。

正如前面所述,水泥窑低温余热发电技术的内涵,是将水泥生产过程中产生的并且水泥生产过程本身已不能再利用的余热回收而转化为电能。因此,采用理论上的"混合热效率"(既不是绝对热效率,也不是相对热效率,这里简称为"热效率")来对不同的低温余热发电技术的热量转换效果进行评价是可行的,可以消除熟料热耗、熟料形成热、烧成系统设备散热、原燃料烘干所需废气参数、电站热力系统构成方式及蒸汽参数、熟料实际产量和规模、废热取热方式等因素的影响。故本标准的设计指标采用了"热效率"的概念。

余热发电系统热效率,是指可用于发电的水泥窑废气总余热量转化为电能的百分比。其计算公式为:

$$\eta = (3600 \times D) / \sum Q_i \tag{1}$$

式中:η——热效率(%);

D——发电功率(kW);

Q_i——可用于发电的总余热量(kJ/h)。

物理意义:

发电功率即是余热发电系统输出功率(kW)。

可用于发电的总余热量$\sum Q_i$由以下几部分组成,即:

$$\sum Q_i = Q_{SP} + Q_{AQC} + Q_{tt} + Q_{qt} \tag{2}$$

Q_{SP}为可用于发电的窑尾废气余热,其计算方法为:

$$Q_{sp} = V_{zs}(T_{js} \times C_{tjs} - T_{hs} \times C_{ths}) + V_{ys}(T_{hs} \times C_{ths} - 135 \times 1.42)$$

$$\tag{3}$$

式中：Q_{sp}——可用于发电的窑尾总废气热量(kJ/h)；

V_{zs}——窑尾预热器排出的总废气量(标况，下同)(m³/h)；

T_{js}——窑尾预热器排出的废气平均温度(℃)；

C_{tjs}——对应于T_{js}的窑尾废气比热[kJ/(m³·℃)]；

T_{hs}——物料烘干所需要的废气平均温度(℃)；

C_{ths}——对应于T_{hs}的窑尾废气比热[kJ/(m³·℃)]；

V_{ys}——扣除物料烘干所需窑尾废气量后剩余的窑尾废气量(m³/h)；

135——扣除物料烘干所需窑尾废气量后剩余的窑尾废气进入收尘器金属构件不结露的允许最低温度(℃)；

1.42——对应于135℃的窑尾废气比热[kJ/(m³·℃)]。

Q_{AQC}为可用于发电的窑头废气余热，其计算方法为：

$$Q_{AQC} = V_{ZA}(T_{jA} \times C_{tjA} - T_l \times C_{tl}) \tag{4}$$

式中：Q_{AQC}——可用于发电的窑头总废气余热量(kJ/h)；

V_{ZA}——电站不投入运行时(或无余热发电)冷却机总排入大气的废气量(m³/h)；

T_{jA}——电站不投入运行时(或无余热发电)冷却机出口总排入大气的废气平均温度(℃)；

C_{tjA}——对应于T_{jA}的冷却机出口排入大气废气比热[kJ/m³·℃)；

T_l——余热锅炉最低工段—热水段理论上废气温度的下限值，视系统配置不同通常在80℃～120℃之间，考核计算取值为100℃；

C_{tl}——对应于T_l的废气比热[kJ/(m³·℃)]。

Q_{tt}为用于发电的窑筒体废热热量(kJ/h)。

对于窑筒体废热热量，目前有部分水泥工厂进行了部分回收，但未用于发电，其他绝大部分水泥工厂都未回收。当将窑筒体废热热量回收并用于任何形式的发电时，计算发电系统热效率应按实际回收的窑筒体废热热量计算。

Q_{qt}为用于发电的其他热量(kJ/h)。

对于不同的余热发电技术或不同的水泥工厂，其用于发电的热量除前述废气热量外，有可能还利用其他热量，如果为了多发电，利用窑的部分二次风或三次风，这样势必增加熟料热耗，因此应将熟料增加的热耗或抽取的用于发电的二次风、三次风热量计入发电用热量。

如果为了多发电，改变物料烘干方式，将原本用于烘干的废气全部用于发电，另用燃烧燃料的热风炉烘干物料，或者用其他方法烘干物料，此时无论采用何种方式，应将物料烘干所用的热量计入发电用热量。

水泥生产烧成系统因配套建设余热发电所增加的其他能源消耗(含电耗增加)，换算为热量后均应计入发电用热量。

关于水泥工厂余热发电系统热效率，依据不同规模的生产线、不同地区(南方、北方、沿海地区与西部地区)的计算，大致在18.5%～20.5%之间。

对于不同的热力系统，其自用电率也不同，一般情况下，单压系统站用电率较低，根据统计，双压系统站用电率高于单压系统，主要是低压补汽部分汽耗率高，给水量及循环冷却水量也较大所致；闪蒸系统由于闪蒸率的影响站用电率在所有系统中最高；有些采用强制循环的锅炉进一步增加了站用电率。本标准规定站用电率范围即考虑到了不同的热力系统对站用电率的影响。

需要注意的是，计算自用电率时，余热发电系统对于水泥生产线所导致的用电量增减不计算在内，如窑头鼓风机、窑头引风机、高温风机等设备运行工况变化引起的负荷变化。

3.0.4 在生产控制上，余热发电系统是水泥生产系统的一个分支，但又具有独立于水泥生产系统之外的特点。为水泥生产系统的稳定和发电系统的安全，两者之间的控制联络、数据传输，应及时、准确、有效，故余热发电系统的控制水平不应低于水泥生产线。

余热发电的前提是确保生产线的正常运行，电站系统的控制需要废气系统投、切余热锅炉烟风道阀门或调整阀门开度时,应事先通知水泥生产线中控室进行相应操控。因此,余热锅炉的进口、出口及旁通阀门的运行操作只能在水泥生产线中央控制室进行操控或授权操控,否则将影响水泥线正常生产参数。电站系统调节需要依据废气系统参数进行发电系统的调控,因此,阀门的开关量(对应的风量、风压、风温)应反馈至电站控制系统和水泥生产线控制系统。

4 余热资源、热力系统与装机规模

4.1 余热资源

4.1.1 水泥生产过程的废气是指水泥烧成系统的废气,一是窑头熟料冷却机在冷却物料过程中产生的废气;二是窑尾预热器出口废气;还有一些生产线为了保证水泥质量而设置的旁路放风系统的废气。这些废气在水泥生产上一般还要用于煤粉制备、生料粉磨等原燃料烘干工艺中使用,故余热发电所用废气在梯级利用的原则下,既不能影响水泥生产用热的要求,也要尽可能回收废气余热用于发电,如窑尾废气余热利用只能用出末级预热器与生料粉磨要求风温之间温差的余热等。

在本标准第3.0.3条说明中提到了单纯追求余热发电量指标而影响水泥生产正常用热需求,如为增加发电量,人为提高进入余热发电系统废气温度、占用工艺用热风等手段,而加大了烧成系统热耗,将会引起整个烧成系统一次能源消耗的隐性增长。

4.1.2 同规模水泥窑,由于生产操作和原料、燃料成分及水分不同,可利用余热资源量存在较大差异,所以在实施余热发电前应对工厂现有系统进行能源审计,审计中应对余热资源进行热工调查,并对其能源使用的情况进行全面分析,对于能耗指标明显高于国内平均水平的生产线,应按评估进行整改后的参数确定合理的余热资源量,并应综合考虑水泥烧成系统余热资源近一年的动态平衡。为此,本条规定了热工标定和相应的计算方法标准。

4.2 热力系统及装机方案

4.2.1 余热发电系统由于对熟料冷却机、窑尾预热器废气取热方式、系统构成、循环参数的不同,所形成的热力循环系统是不同的。

目前国内水泥工厂余热发电采用的热力系统,基本可分为三种方式:单压热力循环系统、双压(或多压)混汽热力循环系统和带热水闪蒸器的混压热力循环系统。

当经技术经济比较单压热力循环系统余热回收效率偏低、系统排出口废气温度较高时,应考虑采用双压(或多压)混汽系统或带热水闪蒸器的混压系统。

非单压热力循环系统的选取,应根据废气参数、主厂房与余热锅炉的距离经技术经济比较确定。

4.2.2 为提高系统热效率,过热蒸汽温度应尽可能接近废气温度,蒸汽压力的选择则应综合考虑废气量、废气温度、汽轮机效率(单位汽耗)等因素,经过多方案技术经济比较后确定。

4.2.3 根据调查资料,同一厂区选用1台汽轮机机组的余热电站,具有投资省、机组运转率高的优点。当生产线规模不同时,产量较高的1条水泥窑运转率偏低或停产时,会造成汽轮机机组负荷率偏低,效率明显下降,若长期在低负荷下运行时甚至影响到汽轮机机组的寿命。在这种情况下也可选择2台或2台以上机组。

5 总平面布置

5.1 一般规定

5.1.1 余热发电是水泥工厂的一部分，故余热电站的总平面规划设计的要求，应符合现行国家标准《水泥工厂设计规范》GB 50295 的相应规定。

余热发电是资源综合利用、提高资源有效利用率的主要手段，是国家能源政策所提倡、鼓励的，建设余热发电是必然趋势。因此，本条规定了余热发电设计应结合生产系统统筹规划。当余热发电系统不与水泥生产线同步建设时，工厂的总平面规划、设计应留有建设余热发电的规划。统筹规划的另一项工作就是合理利用公共设施、减少拆迁而节省投资和缩短建设周期。统筹规划时要注意将施工时对生产的影响缩小到最低程度。

5.1.2 对于余热发电主厂房位置的选择，考虑到水泥生产线扩建后，为便于管理与节省投资，应避免形成 2 个及 2 个以上主厂房（汽轮机房），故要求将主厂房布置在生产线扩建侧。

5.1.4 余热发电的各车间分布在烧成车间附近，不管与生产线同步建设还是后建设的改、扩建工程，它的绿化应是工厂绿化的一部分，应统一协调。

关于绿地率，现行国家标准《水泥工厂设计规范》GB 50295—2016 规定：厂区绿地率不应大于 20%，新建工厂不宜小于 15%，改、扩建工程不宜小于 10%。当余热发电与生产线同步建设时，绿地率由工厂的总平面设计统一控制；当余热发电是改、扩建工程时，绿地率的控制指标应执行不宜小于 10% 要求。如果水泥生产线本身已经是改、扩建工程，在它的基础上再建余热发电，绿地率很难做到不宜小于 10% 的要求，鉴于这种情况，故本条没有规定绿地率指标,仅要求与工厂绿化相协调。

5.1.5 本条依据现行国家标准《建筑设计防火规范》GB 50016、《水泥工厂设计规范》GB 50295 的规定,结合水泥工厂余热发电生产过程中的火灾危险性类别,参照《小型火力发电厂设计规范》GB 50049、《火力发电厂与变电站设计防火规范》GB 50229 的有关规定,确定了建(构)筑物的最低耐火等级和最小防火间距,没有放宽也没有从严,本标准的附录 A 也与其保持了一致。

当改建、扩建工程厂房的防火间距确实满足不了本标准附录 A 的规定时,表 A 注 8 规定"应按现行国家标准《建筑设计防火规范》GB 50016 的有关要求采取相应措施",可依规定适当减少防火间距。防火规范的措施要求大体上有:设防火墙、防火门窗、防火卷帘、水幕;门窗洞口面积之和不超过该外墙面积的 5%,且门窗洞口不正对开设等。上述措施是不得已而为之,其前提是仅限于改建、扩建工程,当余热发电工程与工厂同步设计时不宜应用此规定。

5.2 主要建(构)筑物的布置

5.2.1 余热发电是资源综合利用的重要手段,所求是最大限度地回收余热资源,避免汽水管道长距离输送的热力损失与压力损失,所以规定了主厂房应靠近余热锅炉。在改建、扩建工程中有时因场地紧张主厂房难有理想的就近位置,但也应创造条件尽可能靠近。另外,发电机的并网接入联络线出线顺畅是汽轮机房的朝向选择条件之一,考虑到余热发电的特点,主厂房布置在烧成车间附近,而工厂的总降压变电站位置、方位变化较多,要求出线顺畅确有困难,因此,本条仅提出"综合确定"主厂房位置的要求。当同一厂区拥有 3 条及 3 条以上水泥窑时,尤其是水泥生产线是规划外分期建设的,工厂总平面布置烧成系统不是很集中,如果集中建 1 个汽轮机房,势必造成有的余热锅炉到汽轮机房距离较长,较长的主蒸汽管道的温度降、压力降增大而降低余热发电系统热效率。

当采取技术措施后,主蒸汽管线压力降仍超过0.2MPa或温降超过20℃时,如果通过技术经济比较,集中建1个汽轮机房不合理时,可另设1个汽轮机房。关于合理与否的判断,定性勉强可以掌握而定量确实较难,就是说控制压降0.2MPa或温降20℃也仅相对于目前一般技术与装备水平是"合理的",故规定为"宜"分设主厂房。

5.3 站区道路

5.3.1 电站位于厂区,故站区道路应与厂内道路有平顺简捷的连接,路型、路面结构应协调一致。

现行国家标准《建筑设计防火规范》GB 50016—2014 第 7.1.3 条规定:"高层厂房,占地面积大于 3000m² 的甲、乙、丙类厂房和占地面积大于 1500m² 的乙、丙类仓库,应设置环形消防车道,确有困难时,应沿建筑物的两个长边设置消防车道"。现行国家标准《火力发电厂与变电站设计防火规范》GB 50229 中明确主厂房的火灾危险性类别为丁类,丁类厂房可不受该条的约束,如果退一步考虑汽轮机房因润滑油系统,其火灾危险性类别将升为丙类,但水泥工厂的余热发电主厂房其占地面积一般不会大于 3000m²,按现行国家标准《建筑设计防火规范》GB 50016—2014 第 7.1.3 条规定,可不设环形消防车道,但"工厂、仓库区内应设置消防车道"的基本要求应该执行。沿建筑物两个长边设置的消防车道,有一侧可能是尽头式道路,此时尽头按规定还应设置调车场。主厂房通常是布置在烧成车间周边,此区域建筑物较为密集,调车场在布置上有一定困难,为保证安全采取设置环形道路或将尽头式道路连接至附近道路而避开设置调车场的困难。因此,设计时以安全第一去理解与执行防火规范是极为重要的。

5.3.2 余热发电区域道路无生产性运输任务,其功能定位为支道。现行国家标准《水泥工厂设计规范》GB 50295 规定支道设计宽度为 3.0m～4.5m,道路净空高度不应低于 4.5m。站区道路应满足安装、检修要求,按 15t～25t 平板挂车运送设备、构件,规定了最小曲率半径不宜小于 15m,如果是小型机组安装、检修运送车辆为 8t 及以下时,按现行国家标准《水泥工厂设计规范》GB 50295—2016 规定,道路最小曲率半径可以 9m 或 12m。为满足消防要求,现行国家标准《建筑设计防火规范》GB 50016—2014 第 7.1.8 条规定消防车道净宽度和净高度均不应小于 4.0m,故本标准规定站区道宽 4.0m～5.0m,道路净空高度不应低于 4.5m。

5.4 管线布置

5.4.2 在改、扩建工程中场地紧张,经常碰到主厂房布置进去了,管线排不下。因此,规定了在困难的条件下,地下管线可布置在路面范围以内。为检修方便可做管沟、综合管沟或为节省投资直埋,因涉及路面结构做法,应慎重处置。因此,规定要经技术经济比较后确定敷设方式。

5.4.4 地下管线最小水平净距、地下管线架空管线与建(构)筑物之间最小水平净距、地下管线之间与铁路交叉的最小垂直净距,在现行国家标准《水泥工厂设计规范》GB 50295—2016 中均有详细规定,涵盖了余热发电的相应管线。

6 主 厂 房

6.1 一般规定

6.1.1 本条文是从安全生产、运行维护的方便的角度出发,对主厂房的布置提出了基本要求。安全运行不仅包括设备安全,要求环境条件符合防火、防爆、防冻、防腐、防毒等有关规定,预防发生设备损坏事故,保护人身安全,同时也包括巡检通道畅通和工作场所的空气、温度、湿度、采光、照明、噪声等符合国家现行标准的要求,以给生产运行、维护管理创造良好的环境。

6.1.3 主厂房车间内部布置时,应根据厂区规划,综合考虑热机、电气、土建、水工、热控、暖通等专业对主厂房布置的要求,同时考虑是否扩建,经比较确定合理的布置形式。分期建设时,主厂房布置应选择合适的厂房跨度尺寸和层高。在确定汽轮发电机组采用纵向布置或横向布置、各楼层、汽轮机房行车轨顶、除氧间的标高等,应结合机组当前与扩建容量统筹考虑。

6.2 主厂房布置

6.2.1 本条对主厂房各层标高做出了规定。

    1 为操作和处理事故的交通便捷,主控制室的地面与双层布置的汽轮机房运转层标高尽量一致。

    2 为了保证锅炉给水泵向余热锅炉正常连续供水,使入口在任何运行工况下不发生汽化,除布置中应注意尽量减少给水泵进水管的沿程阻力外,还应有足够的灌注高度,为此要求除氧器、闪蒸器的布置应有一定的高度。

6.2.2 主厂房柱网的柱距通常是根据汽轮机、发电机等主要设备的尺寸和布置确定的,并应符合建筑设计统一模数制定。

主厂房的跨度对主厂房土建造价影响很大,跨度加大,主厂房造价也增加。由于跨度增大,桥式起重机的设备费用也随之增加,因此应合理确定主厂房的跨度,使其既满足运行、检修的需要,又尽量降低主厂房的造价。汽轮机房的跨度主要取决于汽轮机的容量、形式和布置。当汽轮机采用纵向布置时,汽轮机房纵向长度长而横向跨度小;当采用横向布置时,则汽轮机房纵向长度短而横向跨度大。采用什么布置形式,选用多大跨度合适,这应根据厂区的总平面布置,结合规划机组数量经技术经济比较后确定。

6.3 检修设施

6.3.1 当汽轮机组采用岛式布置时,机组的检修在运转层一般只能旋转轴承、维修调速系统等小的部件,而汽轮机大部件(如汽缸、隔板、转子等)都需放到底层专设的检修场地。检修场地的面积需满足翻缸的要求。

在检修场地的设置时,要注意有无扩建需求,这一点很重要。当有扩建要求时,应将检修场地设在汽轮机房的扩建端,可形成一块检修场地供2台机组使用,既提高了建筑面积利用率又节约了投资。

多台机组的检修场地设置,为了减少桥式起重机来回行驶时间,以及减少对运行机组的干扰,宜将检修场地设在其中两台机组之间。

6.3.2 本条对汽轮机房内起重机设置做出了规定。

1 为提高检修工效,对于汽轮机间,明确提出应设置检修用电动桥式起重机。对单层布置的汽轮机房内,考虑到机组容量较小、起吊重量小,且起重机操作人员有可能跟随起吊件行走的作业条件,故可设置手动单梁桥式起重机或其他形式的起重设备。

起重机的起重量和轨顶标高的确定,要注意结合扩建机组统一考虑。余热电站机组台数较少,一台起重机足可以满足检修要求,故所选择的起重机不仅应满足当前机组的检修需要,还应满足扩建后较大容量机组检修起吊的需要。

  2 起重机的起重量应按检修起吊设备中最大的起重件确定。其中发电机定子检修时的吹扫和试验是在原地进行,无需起吊,它不属于检修起吊设备,故起重机的起重量不考虑发电机定子。

6.3.3 为提高检修工效,规定对于主厂房内起重机无法吊到的一些设备或部件的上方应设有起吊钩,为检修提供方便。这主要是指双层布置的汽轮机房在零米层的凝结水泵、射水泵、油泵、凝汽器端盖、大型阀门等辅助设备和部件。但是如果在跨度较大的车间内设置固定吊钩,可能会造成土建费用的提高,此时可设置相应检修设施。

6.3.4 当发电机大修时,一般都要抽出转子进行吹扫和试验。主厂房布置不仅要设有适当的检修场地存放发电机转子,同时要考虑在发电机转子抽出方向预留一定的空间和场地。关于抽转子的空间和场地,其他行业利用转子抽出方向外墙开门加阳台的办法来节省建筑面积,达到降低投资的目的,这对水泥工厂余热发电改、扩建工程中由于场地限制主厂房不能做到理想尺寸的情况时如何处置,有积极的参考意义。

  凝汽器的冷凝管若因泄漏而堵塞,在超过规定比例后,按检修规程规定应更换这部分铜管,因此要求在凝汽器水室的某一侧,应留有更换铜管所需的作业空间。

6.4 综合设施

6.4.1 为方便运行中的巡回检查和操作,一些主要阀门的布置,应考虑便于巡视检查和操作的可能。本条"人员难以到达的部位"是指需要维护、操作的主要阀门布置高度超过一般人员伸手所能及的部位,通常指所处平面上方 2m~2.2m 或者距平台边缘较远而人员操作有困难或可能造成意外伤害的,此时需设置维护操作平台或设置传动装置引至楼地面进行操作。

6.4.2 本条对主厂房内通道和楼梯设置做出了规定。

1 现行国家标准《建筑设计防火规范》GB 50016—2014 第3.7.5条规定"疏散走道最小净宽不宜小于1.4m";现行国家标准《火力发电厂与变电站设计防火规范》GB 50229 第5.1.3条有同样规定。本款"贯穿直通的纵向通道"的规定在上述两个规范里没有规定,在现行国家标准《小型火力发电厂设计规范》GB 50049中有类似规定,为一般条款,故本款用词为"不应小于"。

2 汽轮机运转层至底层平面应设上下联系楼梯的要求,是考虑到主厂房内有很多辅机、辅助设备(如给水泵、凝结水泵、射水泵等)布置在零米层,油箱、冷油器、油泵等布置在中间层,为运行人员巡检方便和事故处置操作便捷,设置上下联系楼梯是必要的。当布置没有中间层时,就近楼梯可视为联系楼梯。

6.4.3 设计回访中发现多数余热发电主厂房地下的管沟和电缆沟都有不同程度的积水现象。了解其原因:一方面,是由于设计时对地下设施不重视,地下沟道排水坡度过小,防水措施不完善,施工中未按设计要求施工,交工前沟内施工垃圾清理不净;另一方面,运行中的维护管理不善,乱凿、乱接、乱放水,室内排水沟槽不及时清扫疏通。余热发电设计应十分重视地下沟道的防、排水设施的设计,采取有效的防堵、排水措施,沟底要有足够大的排水坡度。应尽量避免电缆沟与其他沟道交叉,但当其受条件所限必须交叉时,应有良好的防水措施,不得将电缆沟作为其他管沟的排水通道。主体专业应与土建专业密切配合,做好主厂房的沟道设计。

6.4.4 余热发电自动化程度高、定员少,尤其是主控制室的操作人员不能长时间脱岗,为此,在主厂房内设置卫生间是必要的。同时为了加强文明生产,为主厂房做好清洁卫生工作创造条件,规定主厂房各楼层应设置清洗水源,配合清洗水源设置清洗水池是必要的。通常做法是汽机间底层设置地面冲洗设施,而其他楼层采取拖地方式清洁地面。

6.4.5 在汽轮机油系统发生事故时,为了及时排除汽轮机油系统内储存的油量,控制火灾蔓延扩大,规定在汽轮机间附近设置事故储油箱或储油池。

7 余热锅炉及系统

7.1 一般规定

7.1.1 本条为强制性条文。为确保余热发电系统故障时不影响水泥生产的正常运行,在余热锅炉的进出烟气管道之间应设旁通烟风道,并在锅炉进出口和旁通烟风道分别设置阀门。当余热发电系统故障时,通过开关烟风道阀门实施余热锅炉从烧成系统中解列,而烧成系统仍可正常运行,如不设旁通烟风管道,一旦余热锅炉发生漏水等故障,则会直接导致水泥窑系统无法运行,被迫停窑。

7.1.2 由于余热锅炉设置于水泥生产最主要的烟风管道上,一旦发生事故(如锅炉爆管、漏水、粉尘堵塞等)将影响水泥生产的正常运行。为防止此类情况发生,余热锅炉汽水管路的设计应设置使余热锅炉在事故、检修状态下从发电系统中迅速解列的措施。

7.1.3 本条要求余热锅炉应尽量靠近水泥生产废气热源布置,使废气管道紧凑合理,在减少热损失的同时,也可降低管道及支架的投资。

7.1.4 本条主要从生产安全角度考虑,当故障条件下余热锅炉需要从烧成系统中解列时,要求余热锅炉进口、出口管道及旁通管道上设置的控制阀门要可靠灵活,这些阀门在生产运行中只要不停窑或余热发电系统不出故障它就没有动作,时间可长达几个月。因此,阀门的选型很重要,要确保运行的可靠性。同时为提高可靠性,在阀门处设置日常维护和故障操作维修平台也是十分必要的。

7.2 余热锅炉设备

7.2.1 窑头废气含尘浓度虽然不高,但粉尘颗粒较粗且较硬,磨蚀性很强,为了减少对余热锅炉的磨损,应采取有效的防磨损措施。

窑尾废气含尘浓度较高,窑尾余热锅炉应采取有效的清灰设计,防止堵灰。

7.3 余热锅炉与水泥生产线的连接

7.3.1 本条对余热锅炉进口、出口烟风管道的设计做出了规定。

1 本款对管道风速限制,一是考虑粉尘不在倾斜管道中沉降的最低风速,二是考虑到改、扩建工程水泥生产系统风机裕量,限制管道的最大经济流速,使之尽可能不更换原风机。设计中如遇到水平或小倾角烟道时,管道风速应加大或不加大而采取排积灰措施,因此规定风速控制是有条件的,故其用词是"宜"。

2 为了防止管道内积灰,本款针对倾斜管道的倾角提出了要求。含尘管道积灰与风速、倾角有关。关于管道的倾角,《水泥厂工艺设计手册》(中国建筑工业出版社,1978年)推荐管道溜角:窑灰40°~45°,熟料33°~35°。为确保粉尘在烟风管道内不沉积,避免因余热锅炉烟风系统故障而影响余热发电正常运行,多年来设计上采取烟道倾角比手册推荐的管道溜角再大5°,考虑到窑头余热锅炉烟风管道风速通常取值较低,其管道倾角又适当加大一点。经调查,按本规定的角度设计,在实际使用上尚未发生过烟道积灰事故。

7.3.2 窑头废气中粉尘颗粒较大且硬度高,磨蚀性很强。为减少熟料粉尘对锅炉受热面的冲刷磨损,延长锅炉的使用寿命,除应按本标准第7.2.1条要求增加防磨损措施外,从源头减少粉尘浓度是治本的措施,故规定了窑头余热锅炉废气入口前应设置粉尘分离装置,如果系统没有设置分离器,则需要在余热锅炉内部设内置分离器。

7.3.3 余热发电系统都是在水泥生产线设计完成或者已经生产的基础上增加余热锅炉系统设计,常常是在有限的空间内进行布置的,一定要对所有的管道和支架的应力进行核算,对管道附件(如补偿器)的性能指标做出合理的要求。

8 汽轮机设备及系统

8.1 一 般 规 定

8.1.2 余热发电一般情况下推荐采用凝汽式机组。但是在本地区有连续并且稳定的热(冷)负荷时,为了提高经济性,通过经济技术比较,也可采用抽凝式机组、背压机组等机型,实现热电联供,当热(冷)负荷小于发电负荷30%以下时宜采用蒸汽直接供热方式,主要目的是尽量减少供热负荷对汽轮机组运行的影响。

8.1.3 余热发电机组容量的选择,应充分考虑水泥窑废气参数波动的影响,在机组负荷率为30%~110%的范围内,能够安全、稳定运行。因为余热发电是受水泥窑的运行状态起伏而波动的特征,往往低负荷是短时现象。为最大限度地回收余热资源,此时可不考虑机组效率,这种合理利用汽轮机的变工况适应能力,通过近几年的生产运行是可行的。

一般汽轮机不允许长期的超发和低负荷运行,考虑水泥窑的正常检修时间一般在5d~7d,故本条规定汽轮机允许在不低于30%负荷率运行,而长期低负荷运行,不仅汽轮机效率显著下降,还会导致汽轮机末级叶片因带水运行而造成受损。因此,在汽轮机订货时一定要特别注明超发和低负荷运行要求。

8.1.4 当有2台或2台以上汽轮机组时,主蒸汽管道设计应做到安全、可靠与灵活的最基本要求。在机组发生事故需切换管路时,对发电的影响应降低到最低限度。

切换母管制系统的做法,为每条窑的余热锅炉与其对应的汽轮机用两只串联的切换阀门组成一个单元,在两只串联的切换阀门之间T接管路并设切换阀门与母管相连。余热锅炉产生的蒸汽,既可以直接供应相对应的汽轮机,也可以通过切换母管向其他汽轮机供汽,即汽轮机既可以从相对应的余热锅炉受汽,也可以通过切换从母管受汽。

水泥工厂具有多条窑的余热发电系统,水泥窑因故障突然停窑又时有发生,要求主蒸汽管道应有较高的调度灵活性和运行安全可靠性,因此,宜采用切换母管制。在切换母管制中,为了便于母管检修或将来扩建需要,母管可以用阀门分段。母管管径一般按能通过最大一条窑的余热锅炉总蒸发量确定。正常运行时,切换母管应为热备用,并设置经常疏水点,以确保随时启动的运行安全。

8.2 给水系统及给水泵

8.2.1 为确保余热锅炉的安全运行,给水泵还应设置1台备用泵。

8.2.2 为了提高余热发电系统运行的安全性、可靠性和灵活性,给水系统应采用母管制系统。

1 给水泵吸水侧的给水母管管径的选择,当采用分段母管时,其管径比给水箱出水管径大1级~2级。给水箱之间水平衡管的设置,根据不同情况通常做法:当有2台机组且2个给水箱之间距离不远时,可用低压给水母管兼作水平衡管;当有3台及以上机组,或给水箱之间距离较远、低压给水母管难以平衡各给水箱的水位时,应单独设置水平衡管。

2 当给水泵出力与余热锅炉容量不匹配时,所有给水泵产生的高压给水先送往给水泵出口压力母管集中后,再由该母管送往各机组的余热锅炉。为提高系统的可靠性,用闸阀将母管分为两个或以上的区段。正常运行时,分段阀门开启;当发生某条窑停运、事故或分段检修时,将分段阀门关闭,其他管段及设备仍能继续运行。

当给水泵出力和锅炉容量相匹配时,为使系统灵活可靠,给水泵与余热锅炉之间给水管的连接宜采用切换母管制系统。

3 为了防止给水泵在启动和低负荷时产生汽化,设置循环管是必要的。具体可在给水泵出口处设置给水再循环管和再循环母管,把给水送回给水箱。

4 备用给水泵应位于低压给水母管和压力分段母管的两个分段阀门之间,这样便于分段阀门任何一侧的给水泵停运检修时,备用泵能接替其工作。

8.2.3 经过实际运行发现,很多生产线实际运行与设计参数变化很大,而余热锅炉额定蒸发量仅仅考虑了废气变化浮动10%的量,尤其是新建生产线这种现象更突出。余热锅炉蒸发量也受烧成热工变化而带来的影响,例如特殊情况下的强烧,此时废气温度的提高必然造成余热锅炉蒸发量增加;又如某阶段熟料品种变化而带来烧成热工参数的大幅度变化等。这种变化是随机、不可预测与定量的,因此本标准改为给水泵的总出力为锅炉额定蒸发量的120%,原规范没有考虑这些因素。

8.2.4 给水泵的扬程计算,当计算从除氧器给水箱出口至窑尾余热锅炉进口给水系统总阻力时,采用的流量为锅炉额定蒸发量时的给水流量,采用母管制给水系统时也包括母管的阻力,按此计算是不含流量富余量的,因而,按此计算出的给水系统总阻力需另加20%的富余量。

8.3 除氧器及给水箱

8.3.2 对于余热发电,每台机组按照锅炉额定蒸发量的给水量配置1台除氧器。汽轮机厂进行热平衡计算时,按汽轮机额定工况计算了用于除氧器加热的抽汽量,但其抽汽量有富余。目前国产除氧器的容量一般与锅炉容量相匹配,按锅炉额定蒸发量每台机组配置1台除氧器。

在余热发电系统中,相同参数的除氧器一般都并列运行。为了使运行工况一致,除氧器给水箱的汽空间和水空间分别设有汽、水平衡管相连。连续排污扩容器分离出来的蒸汽一般送入汽平衡管,水平衡管可以用给水泵入口的低压给水母管来代替,也可以单独设置。为了适应各种运行工况,多台机组的加热蒸汽、化学补给水、主凝结水、高加疏水、给水再循环管、疏水箱来水管等由母管相连较好。

8.3.3 给水箱的功能是凝结水泵、化学补给水泵与给水泵之间的缓冲容器,在锅炉爆管、机组启动、负荷大幅度变化以及凝结水系统或化学补给水系统故障造成除氧器进水中断时,可保证在一定时间内不间断地满足余热锅炉给水的需要。

考虑到余热发电的控制水平及操作水平、余热发电的负荷变化较大等因素,对于给水量小于或等于 35t/h 的 6MW 及以下机组,宜按满足全部余热锅炉额定蒸发量 20min~30min 的给水量确定。随机组容量的增大,适当减少给水箱容量,对设备布置和节约投资均有利,故对于给水量大于 35t/h 的 6MW 以上机组,规定给水箱的总容量为 10min~15min 全部余热锅炉额定蒸发量时的给水量。

给水箱的总容量是指给水箱正常水位至出水管顶部水位之间的有效容量。

8.4 凝结水系统及凝结水泵

8.4.2 凝汽式机组容量是以锅炉额定蒸发量和汽轮机最大进汽工况为基准的,每台凝结水泵的容量为汽轮机最大进汽工况下最大凝结水量的 120%,主要考虑除氧器水位调节需要、余热锅炉蒸发量提高、凝结水泵老化和其他未估计到的因素。

8.4.3 凝结水泵扬程的计算与本标准第 8.2.4 条给水泵扬程的计算要求相似,计算凝结水流动阻力时,流量是采用取最大凝结水量,是不加富余量的。本标准第 8.4.2 条规定,凝结水泵流量应为最大凝结水量的 120%,在这种工况下运行凝结水流动阻力将有增加,水泵扬程另加 20% 的富余量是必要的。

8.5 凝汽器及其辅助设施

8.5.2 一部分水泥厂凝汽器的冷却水水质较差,建议设置凝汽器清洗装置,如胶球清洗装置等,以保持凝汽器的清洁度。

9 给水排水及设施

9.1 一般规定

9.1.1、9.1.2 余热发电是水泥工厂的一个车间,从节约投资和统一管理的角度出发,应与水泥生产线供水统一规划。改、扩建工程的余热电站水源也宜在水泥工厂水源的基础上扩容,若需另辟水源,应经技术经济比较确定。

9.1.3 余热发电系统是水泥工厂生产系统的一个分支。余热发电的主厂房布置在烧成车间附近。为节省投资,规定了余热发电的锅炉辅机循环冷却水、生活、消防给水和排水管网应与水泥工厂对应的管网相接。

9.2 供水系统

9.2.1 本条规定余热发电的用水标准,其中生活用水量、绿化与浇洒道路用水量、设计未预见水量的确定,应按现行国家标准《水泥工厂设计规范》GB 50295 的规定执行。余热发电生产用水量包括全部生产和辅助生产各部位的用水(如机械设备、化学水车间、锅炉取样冷却等用水),需要根据机组规模、设备选型等因素确定,也应结合有关的国家规范与多年设计、生产的实际情况确定。

9.2.3 为确保余热发电系统的安全运行,附属设备的冷却用水的水质和水温,除应满足设备生产厂的有关技术要求外,尚应执行国家现行标准《工业循环冷却水处理设计规范》GB 50050 的有关规定。

若现有水源的水质或水温不能满足要求时,可采取相应处理措施或使用其他水源。相应处理措施诸如除去水中杂物;当水中含沙量较大且沙粒较粗、较硬时,宜对冷却用水进行沉沙处理。

补充水带入的悬浮物在循环供水系统中沉积,粉尘使冷却塔淋水装置和集水池产生积垢,给循环水系统的安全运行和检修带来麻烦。当循环补充水中各项指标超过规定值时,做预处理是十分必要的。

9.2.4 水作为一种资源应予节约,为企业管理考核用水指标和促进节约用水,本条中规定在补给水总管上及电站内其他主要用户的接管上装设水量计量装置以利管理。

9.3 冷却构筑物和冷却水泵

9.3.1 本条规定了冷却塔塔间净距及其与附近建(构)筑物的距离。在冷却塔布置时,除应考虑通风、检修、管(沟)布置、空气动力干扰,以及山区和丘陵地带湿热空气回流的影响,还要特别注意周边环境对冷却塔的影响,例如厂内主干道行车粉尘、露天堆场粉尘对冷却塔的污染,上述影响对于不同地区、不同气象条件与附近建(构)筑物的合理距离还需不断摸索总结,为设计提供更多的科学实践依据。

9.3.2 机械通风冷却塔因需要风机通风,因此选择2台以上形成实际上的备用;而选择最大水量的120%是考虑随着在冷却塔的一个大修周期内,填料老化等因素引起的性能下降后仍能保证系统冷却水量。

冷却塔风机选双速电机主要是适应不同的发电负荷及不同的气候,降低站用电率及节约水的消耗。

9.3.3 为了提高余热资源回收率,冷却水泵应设置备用泵。当冷却水泵故障时,火力发电厂可以通过少投煤来控制蒸汽量,此时仅减少发电量而已,在能源上不会造成浪费。而余热发电的蒸汽量是水泥烧成系统的生产废气产生的,当冷却水泵发生故障而水泥窑仍在正常运行时,只有通过余热锅炉旁通烟道的阀门调节减少蒸汽产量,这是浪费能源。所以本条规定冷却水泵应有备用,以确保余热的回收。

9.3.4 运行的循环水泵不包括备用水泵。

10 水处理设备及系统

10.1 原水预处理及循环冷却水处理

10.1.1 设计应根据全部可利用水源的水量、水质全分析资料、水源变化规律,合理确定水处理系统。水处理系统选择的依据是原水的水质全分析资料,要求提供的水质全分析资料是将来锅炉用水的水源。根据以往设计经验,改、扩建工程的水质全分析资料往往是多年前当初建厂时的资料,由于我国的经济发展迅猛,无论是地表水还是地下水几年间的变化都很大,多年前的资料反映不出目前真实状况。为准确合理地确定水处理系统,应扎实做好水源、水质分析等前期工作。

关于原水预处理设备的出力、预处理方式、澄清过滤设施选型与设置,现行国家标准《小型火力发电厂设计规范》GB 50049 中有详细的规定,故本标准不再重复作出规定。

10.1.2 冷却水系统在防垢处理方面,所采取的措施有石灰处理、加酸处理和专对水泥工厂余热发电的专用配方,但均未能达到满意的程度。近年来,采用添加缓蚀、阻垢剂处理的电站越来越多,并取得了一定的效果。值得注意的是,阻垢剂若采用磷酸盐类处理时,菌、藻繁殖较快,此时还宜同时进行加氯处理。

加氯可阻止冷却水系统内的生物滋长,并能防止管材和硫化氢起作用,但氯是一种极毒物质,不利于环境保护,余氯排放应符合有关标准规定。但氯对苔藓虫等一般不起作用,因此,也有采用其他类的氧化型防除剂,或在管内壁加衬里等措施。

鉴于上述种种原因,加上水泥行业循环水被污染的特点,循环水的处理方式可根据冷却水水质、药品供应等情况确定,尚应在实践中不断总结与积累经验,故本条只提出原则要求,未作具体规定,但处理措施应符合国家现行标准《工业循环冷却水处理设计规范》GB 50050 的有关规定。

10.2 锅炉补给水处理

10.2.1 锅炉补给水处理系统的选择,应按原水水质、锅炉给水和炉水水质的现行国家标准《工业锅炉水质》GB/T 1576 的要求,根据补给水率、设备和药品的供应条件以及废液和其他有害物质的排放等因素确定,并应符合现行国家标准《小型火力发电厂设计规范》GB 50049 的有关规定。

1 根据目前国内投产余热发电的运行经验,系统水汽循环损失为 3%～5%、排污损失为 1%～2%,加上其他损失,水处理设备的出力应是锅炉最大蒸发量的 5%～8%,但考虑到多数水泥工厂均存在超产的运行状况,余热锅炉产汽量会有所增加,为确保余热发电稳定运行,适当提高水处理设备的能力是必要的。故本条规定水处理设备的出力,不应小于系统中全部余热锅炉最大蒸发量的 10%。

2 为保证锅炉补给水系统供水的连续性,清水箱的总有效容积不应小于按连续运行的最大 1 台余热锅炉 2h 额定蒸发量的出力要求。

中间水箱的容积以满足水量调整为原则,不宜过小。本款按单元制和母管制系统分别作出规定,以便于选用。

适当增大除盐(软化)水箱容量,以适应水泥窑、余热锅炉故障停运余热锅炉炉水回收和重新启动上水的需要,同时也可减少离子交换水处理设备的投资。故规定凝汽式机组的除盐(软化)水箱的总有效容积不应小于最大 1 台余热锅炉 2h 的额定蒸发量。如果是抽汽或抽凝机组,除盐(软化)水箱的总有效容积还应加大,应按供热系统正常补水量来确定。

10.2.2 一般情况下水处理车间是单独设置,考虑到改、扩建工程的余热发电工程大多数是在现有厂区内建设,场地比较紧张,故本条规定锅炉补给水处理车间可布置在主厂房内或单独的建筑内,且利于管理操作。

10.3 给水、炉水校正处理及热力系统汽水取样

10.3.2 考虑到水汽样品的准确性、代表性,规定水汽取样冷却器尽可能布置在余热锅炉附近,且取样管路不宜过长,以免因温度及压力随取样管路加长而改变,致使蒸汽中的杂质可能沉积而失去代表性。取样管及设备还应采用耐腐蚀的材质。

露天布置的余热锅炉,水汽取样冷却器应有防雨措施,北方地区还应有防冻措施,在寒冷地区创造条件布置于室内也是不错的防冻措施。

11 信 息 系 统

11.0.3 改建、扩建余热发电工程信息系统宜与原有生产线一致,无法一致时应与原有系统统一通信协议。

11.0.5 水泥企业已经向着集团化发展,为了提升管理水平,需要建立统一的运行管理系统,本条设置就是为了适应集团化管理的需求。

12 电力系统

12.0.1 水泥工厂一般配套建设有总降压变电站或厂区配电站。余热发电接入总降压变电站或厂区配电站的电压等级,应根据发电机组的单台容量、建设规模、总降压变电站或厂区配电站的具体情况,在接入系统设计中,需经技术经济比较后确定。

1 余热发电通常采用并网运行方式,为此余热发电与总降压变电站或厂区配电站应设置并网联络线,通常采用电缆联络线。发电机组与电力系统并网点宜选择在总降压变电站6kV或10kV母线段或厂区配电站母线段。余热发电与总降压变电站或厂区配电站的两侧均需设置联络线断路器。

关于并网联络线的回路数量,标准中仅规定宜根据发电机组数量确定。通常做法是单台发电机组设置单回联络线,当2台及以上发电机组才设置两回或多回联络线。

2 关于并网同期点的设置,可在发电机出口断路器设置并网同期点,也可在电站侧联络线断路器设置余热发电系统并网同期点。当余热发电设置为单母线分段接线方式时,其母线联络断路器也应设置同期并列点。为安全起见,同期操作都设置在余热发电侧。

12.0.2 由于余热发电与电力系统并网运行,发电机组的启动电源宜利用并网联络线,由总降压变电站或厂区配电站的并网母线段系统提供。发电机组启动电源的投入将选择同期闭锁操作,闭合电站侧联络线断路器来实现。

当站用电系统仅为低压负荷,且不设置站用变压器时,此时余热发电启动电源也可由就近的水泥生产线某电力室提供。

12.0.6 为确保发电机及余热发电系统安全运行,所设置的发电机安全自动保护装置通常的做法:发电机出口断路器设置双高(高频、高压)解列保护装置;电站侧并网联络线断路器设置双低(低频、低压)解列保护装置。

13 电气设备及系统

13.1 电气主接线

13.1.1 水泥工厂余热发电的主厂房建在烧成车间附近,一般都在水泥生产线的负荷中心。发电机的额定电压选择,可根据厂区总降压变电站二次侧电压等级或厂区配电站的电压等级确定,目前在国内,通常为 6.3kV 或 10.5kV,必要时需经技术经济比较后确定。

13.2 站用电系统

13.2.2 当选用 2 台低压站用变压器,并采用明备用方式配设时,考虑今后负荷发展和临时用电的需要,备用变压器负荷率不宜超过 80%。

13.2.3 由于站用电源采用并联切换方式,站用变压器接线组别的选择,应使站用电源与备用电源之间的相位一致。

13.2.4 根据余热发电总图布置情况,当余热锅炉远离主厂房时,其电源可以取自水泥生产线就近的电力室。但考虑到企业内部的成本核算,余热锅炉系统电源进线端应增设电能计量装置。

13.3 站用电力室与主控制室布置

13.3.1 根据余热发电的特点,通常将站用电力室与主厂房合建,高压、低压配电设备可合并放置在同一电力室内,这样可以充分利用空间,减少占地。

14 热工自动化

14.1 一般规定

14.1.1 作为余热发电运行控制的重要手段,热工自动化包括热工检测、热工报警、热工保护、热工控制等,其设计内容如下:

热工检测:各种一次测量元件、变送器、显示仪表、巡回检测仪、积算仪、液晶(LCD)屏幕显示、自动打印等仪表设备。

热工报警:参数超限、重要设备故障的热工报警信号,重要的热工保护动作和自动调节设备故障信号,控制室与就地联系信号等。

热工保护:对主辅机设备故障时的保护和操作联锁。

热工控制:对主辅机设备运行工况的自动调节,主辅机设备的程序控制、联动操作和远方操作等。

14.1.2 规定要求在余热发电项目分期建设时,对控制方式、设备选型、公共辅助生产系统等有关设施,应通盘规划、合理安排,除注意兼顾整体协调和一致性外,也要注意兼顾和水泥生产线有关系统、设施的协调性。

14.2 控制方式

14.2.3 余热发电与水泥生产线的生产运行状况密切相关,因此余热发电分布式控制系统(DCS)与水泥生产线分布式控制系统(DCS)的实时通信、数据传送显得十分重要,应协调控制。余热发电内部的主、辅机设备和过程自动化,也应在分布式控制系统(DCS)实现联锁及程序控制。

14.3 热工检测与自动调节

14.3.3 本条对自动调节系统设置做出了规定。

1 余热锅炉汽包水位是锅炉运行的重要参数,故本款对余热锅炉汽包水位提出了要求。

2 余热电站一般采用滑参数运行,汽轮机主汽的压力决定着余热锅炉的工作压力,而余热锅炉的压力与蒸发量存在对应关系,对汽机主汽压力进行控制可以最大限度地提高余热电站的系统效率。

5 本款规定针对余热电站中任何对液位有要求的容器(如汽机热井水位、除氧器和除氧水箱水位、闪蒸器水位等)。

14.4 联　　锁

14.4.2 为保证水泥生产线窑头、窑尾系统输灰畅通,防止堵料,输送设备之间有必要设置电气联锁;为了水泥生产线的安全运行,余热锅炉的烟气阀门之间也需要连锁控制,甚至余热锅炉的投入与解列,也需要和水泥生产线的主要设备连锁,水泥生产线冷态启动时,按照窑尾余热锅炉、窑头余热锅炉的顺序启动;而水泥生产线停止时,窑头和窑尾余热锅炉需要废气清扫锅炉内部而需要窑尾高温风机及窑头引风机延迟一段时间解列,需要余热锅炉烟风阀门与高温风机及窑头风机连锁。

14.4.3 为保证水泥生产线烧成系统安全运行,余热锅炉进口、出口及旁通烟风道调节阀门应按工艺操作要求设置联锁。

15 采暖通风与空气调节

15.0.1 本条给出了设置集中采暖的条件及设置采暖的原则。

对集中采暖地区的生产及辅助生产建筑物,只要室内经常有人停留或工作,或工艺对室内温度有要求时,均应设置集中采暖。

采暖地区的划分问题,受到国家经济发展财力和物力的制约,是一个政策性很强的问题。随着人民生活水平的提高,对工作环境的舒适要求也有所提高。由于企业财力、物力以及对卫生条件的要求,虽处于非集中采暖地区但要求采暖时,这是以人为本管理理念的充分体现,应予准许。现行国家标准《水泥工厂设计规范》GB 50295 也有相应的规定,余热发电作为水泥工厂的一个车间,应与企业保持协调一致。故本条规定了位于非集中采暖地区的余热电站,如要求采暖时,在有人工作的建筑物及主厂房、辅助生产建筑,可设置集中采暖。

关于设置值班采暖的问题,主要为防止汽轮机房和有水冷却的设备在中断使用时,水管、汽管和其他用水设备发生冻结现象。

按照现行国家标准《工业建筑供暖通风与空气调节设计规范》GB 50019,在非工作时间或中断使用时间,宜按 5℃ 设置值班采暖。

15.0.2 关于采暖通风、空气调节室外空气计算参数,本条明确按现行国家标准《工业建筑供暖通风与空气调节设计规范》GB 50019 的规定选用。设计时经常遇到暖通规范中无建厂地区的气象资料,因此,规定了可采用周围地理条件相似地区的气象资料。执行时请注意"地理条件相似"的要求,不要仅理解为是地理位置。

15.0.3 余热电站采暖热媒的选择,考虑到管理、维护的简单与统一,应与工厂采暖热媒保持一致。据调查,水泥行业厂区采暖没有采用蒸汽的均为热水,仅工艺的除尘设备保温采用蒸汽。因此,本标准规定当由余热电站供热时,采暖热媒应选用热水。这对于改、扩建工程的新旧采暖系统的顺利衔接是有利的,符合改、扩建原则。

关于北方地区水泥生产线的煤磨收尘器(袋收尘、电收尘)、水泥磨袋收尘器的防结露的保温用热,设备设计要求是蒸汽,通常都是采用 0.15MPa～0.4MPa 的饱和蒸汽。改由电站供热后,如仍采用蒸汽时,闪蒸压力偏低,抽汽供热可满足要求,但凝结水回收困难,返回的凝结水铁含量往往超标,不处理不能用,要处理需费用,排放丢弃经济损失更大。除尘设备保温构造是设备外壁贴伴热排管再做设备外保温,排管内通 110℃～150℃ 蒸汽还是 110℃ 热水,其保温效果差异不会很大。如改为高温热水,电站的连续供热效果远比锅炉间断供热的效果好。综上所述,工艺设备保温用热改为热水是可行的。

对于寒冷地区,如果通过技术经济比较显示,工艺设备保温采用蒸汽比较合理,可以采用蒸汽作为热媒。对于技改工程后期又没有扩建或改建的、原水泥生产线采暖热媒就是蒸汽,通过技术经济比较可以采用蒸汽作为热媒。综上,本条规定采暖热媒应选用热水。

15.0.4 关于余热电站供热的备用热源问题,如果仅有 1 条水泥窑设有余热锅炉,当在采暖季节中停窑时,造成的冻害损失将难以预测,因此设置备用热源是有必要的。当有 2 条及以上水泥窑设有余热锅炉时,设置备用热源的必要性不大(2 条窑同时故障有可能,但概率毕竟较小,备用热源可不设)。

非集中采暖地区的余热电站采暖,这是人们生活水平提高后对工作环境提出的要求。非集中采暖地区冬天不是很冷,如仅有 1 条生产线,冬季因停窑不能供热,致使工作环境条件暂时降低是可以理解的。另外,在生产系统中,怕冻的部位均有保温、伴热或放水等防冻措施。基于上述情况,为节约投资不设置备用热源是可以的。

15.0.5 车间作业地点的室内温度,现行国家标准《小型火力发电厂设计规范》GB 50049、《水泥工厂设计规范》GB 50295 都有规定。但随着人民生活水平的提高,对工作环境的要求也有所提高,因此在有人值班的控制室、值班室等设置空调器是适宜的。

15.0.8 本条对站用高压、低压开关柜室的通风设计做了规定。

1 站用高压、低压开关柜室的通风定位于事故通风,这是考虑到虽然已不采用油开关,但设备、线路短路放炮还是有发生的可能,并有可能引燃塑料线而产生有毒烟气,这些烟气不及时排出将影响灭火、抢修的进行,故应设置事故排风。有时虽然很少或没有使用,但不等于可以不设,应以预防为主。

事故通风的换气次数,现行国家标准《工业建筑供暖采暖通风与空气调节设计规范》GB 50019 规定为每小时换气次数不少于 12 次。

高压、低压开关柜室的电气设备也有一定的散热量,其事故排风机宜兼作通风换气用。

2 本款为强制性条款。事故通风的通风机开关装置应分别设在室内、室外便于操作的地点,通常在外门开启方向的门边上便于操作的高度装设,以便一旦发生紧急事故,人员在撤离现场的同时,可顺手启动开关,使通风机立即投入运行,避免更大的损失。

15.0.9 设置本规定的目的是避免当气温低于酸、碱的结晶温度时,造成酸、碱结晶。碱储罐应做伴热设施,而不是保温设施,伴热设施可以是电伴热,也可以是蒸汽或热水等热媒。

15.0.11 化验室通风设计按工艺选型的通风柜及其要求设计排风系统。

15.0.12 余热发电的采暖通风设计,涉及主厂房的采暖热负荷设计、通风设计、化学车间通风设计、水泵间通风设计等,在现行国家标准《水泥工厂设计规范》GB 50295 和《小型火力发电厂设计规范》GB 50049 中均有规定,本标准不再重复。

16 建筑结构

16.1 一般规定

16.1.5 确定地基基础方案是水泥工厂余热发电工程结构设计的重要问题之一。在一般情况下,天然地基比人工地基经济,但对荷载较大的建(构)筑物和受场地条件限制时,天然地基不一定能满足设计要求,故此时采用人工地基或桩基础是不可避免的。

余热发电的特征是利用窑头、窑尾废气余热,余热锅炉尽量布置在废气管道附近,荷载较大的窑头、窑尾余热锅炉地基基础型式及地基处理方式对原有建筑物的影响必然存在,在设计中应引起足够重视。

16.1.7 表 16.1.7 是根据现行国家标准《建筑工程抗震设防分类标准》GB 50223,并结合余热发电建(构)筑物的特点,对其抗震设防分类的具体划分。划分时考虑了其使用功能的重要性,地震停产损失的大小和修复的难易程度等,同时与现行国家标准《水泥工厂设计规范》GB 50295 的相关规定保持一致。

16.1.8 窑头余热锅炉、窑尾余热锅炉一般都是露天布置的,由于锅炉是布置在烧成窑头和窑尾的废气管道附近,为减少阻力及散热,控制风管长度,因而都是用框架将锅炉高架起来,设计上利用相邻车间的楼梯、通道到达余热锅炉的操作层可谓经济之举。

同样,余热锅炉系统的烟风管道支架、烟风阀门操作平台等也是相当高的,若从地面架设,其工程量是可观的;若利用相邻车间的楼面、平台来承载,其经济性也是可观的。余热发电与水泥生产线同步建设时,支架可一并设计。但余热发电为改建、扩建后续建设时,若要利用相邻车间的楼面、平台来承载时,应经核算允许方可采用。

16.2 防火、防爆与安全疏散

16.2.1 余热发电各类建(构)筑物的墙、柱、梁、楼板、屋顶承重构件、疏散楼梯、吊顶等建筑构件的燃烧性能和耐火极限应遵守现行国家标准《建筑设计防火规范》GB 50016 的有关规定,执行中应注意该部分规定有强制性条文。余热发电主厂房的生产的火灾危险性类别为丁类。高压配电室、低压配电室、主控制室、发电机出线小室、电缆夹层和电缆竖井等都存在一定的火灾危险性。为防止火灾蔓延,对隔墙的耐火极限及门窗的防火等级有不同的防火要求,设计中应按其使用功能对照防火规范选取。

16.2.2 主厂房跨度较大,钢结构屋面系统应用较为普遍。汽轮机头部主油箱、油管路有发生火灾的可能。现行国家标准《建筑设计防火规范》GB 50016—2014 第 3.2.1 条表 3.2.1 有关于厂房耐火等级及耐火等级的规定,在第 3.2.6 条规定按现行国家标准《火力发电厂与变电站设计防火规范》GB 50229—2006 第 3.0.7 条规定钢梁、钢柱为 1h,屋面钢结构承重构件为 0.5h。考虑到余热发电主厂房的汽轮发电机间与火力发电厂相同,故本条作了相同规定。

16.2.3 配电室、主控制室等电气间有一定的火灾危险,为防止火灾蔓延而造成更大的损失,故规定室内装修应采用不燃烧材料。

16.2.4 余热发电的主厂房火灾危险性类别为丁类;同一时间的生产人数即使是 3 台机组(机率较低)也不会超过 30 人;主厂房的单层面积(包括高压配电室、低压配电室、主控制室等)基本上不小于 $400m^2$,有些化学水处理车间也可能大于 $400m^2$。厂房安全出口的数量和设置方式,应按照厂房实际面积,对照现行国家标准《建筑设计防火规范》GB 50016 的有关规定执行。

16.2.5 余热发电的主厂房均为丁类多层厂房,依据现行国家标准《建筑设计防火规范》GB 50016—2014 第 3.1.1 条规定,要求耐火等级最低为三级,当耐火等级为一、二级时距离不限,耐火等级为三级时不应超过50m。出于安全考虑,本条规定距离不应超过50m。

16.2.6 主厂房室内装修的可燃材料极少,运行人员也很少。关于安全疏散,厂房内除主楼梯外,还有工作梯,由于是丁类厂房,多年来都习惯做敞开式楼梯。为保障日常巡检工作、设备检修、安全疏散及消防人员扑救火灾要求,应有1部楼梯可通至各层和楼梯所处位置的屋面。

　　火力发电主厂房通常由汽轮发电机间、控制室、上煤间、锅炉房等组成,其火灾时往往需要上屋面通过天窗或侧窗灭火或控制火势。水泥工厂余热发电主厂房没有燃煤系统,仅有汽轮机间、控制室,其火灾危险性远远小于火电厂的主厂房。余热发电主厂房的最高屋面是汽轮机间,由于水泥生产的行业特征要求,为防止外界粉尘飘落,厂房不得开设天窗,那么在火灾情况下即使人上到了主厂房的屋面也无法实施灭火作业。因此,本条规定不要求上到最顶层,仅要求楼梯通至所处位置楼层的屋面,在火灾时可上到该层屋面,通过侧窗对相邻房间(主厂房)实施灭火作业。

16.2.7 现行国家标准《火力发电厂与变电站设计防火规范》GB 50229—2006规定:配电室内最远点与疏散出口的直线距离不应大于15m。配电室内的电气设备、电缆很多,一旦短路造成火灾事故发生,火情和有害烟雾的蔓延非常快,为了使人员能迅速安全疏散,避免造成人员伤亡,特作此规定。

16.2.8 主厂房内主控制室是发电系统的生产运行指挥中心,又是人员比较集中的地方,为保证人员安全疏散,提出安全出口不应少于2个的要求。电缆夹层均有一定的火灾危险性,所以也要求出口不应少于2个。当建筑面积小于60m^{2}时,室内任一点到门口的疏散距离不会超过15m,故可以设1个出口。

16.2.9 配电室、电缆夹层、控制室的门都有疏散的功能,为避免在火灾发生时人们惊慌失措拥向门口,如遇内开门将造成压紧门扇而打不开,贻误逃生机会,因此规定门应向疏散方向开启,当疏散方向不定时,应为双向开启。为避免火灾蔓延至公共走道或其他房间,按现行国家标准《火力发电厂与变电站设计防火规范》GB 50229 的要求,变压器室、电容器室、电抗器室、电缆夹层等采用乙级防火门。

16.3 建筑、结构设计

16.3.1 建筑物的节能设计应根据其使用性质、功能特征和节能要求进行分类,根据不同类别执行相应标准。现行国家标准《水泥工厂节能设计规范》GB 50443 规定,余热发电主厂房属于有采暖或空调的生产建筑,应为 C 类。C 类建筑的节能设计要求,可按现行国家标准《民用建筑热工设计规范》GB 50176 及室内外温度确定屋顶和外墙的最小传热阻。当外墙需要保温时,应采用外墙外保温措施。

17 环境保护

17.0.4 本条对噪声防治做出了规定。设计过程中应选用符合噪声标准的设备;但由于部分用户对噪声标准要求较高,部分设备(如发电机、汽轮机、给水泵等)有可能达不到要求,因此,需要采取一定的措施控制噪声传播,对设备采取外部防护等手段减少噪声。

19 辅助及附属设施

19.0.1 本条对检修设施水平做了规定,原则是节省投资、提高效益。

关于检修设施的设置水平,考虑到这样两个前提:

(1)国家经济发展到目前水平,有社会协作条件。水泥行业的余热电站在运行初期大多数与周边电厂建立了程度不等的协作关系,大修时可委托周边有条件的电厂进行,本企业只按小修设置修配设施,以减少修配设备与维修定员,节省投资、提高运行效益。

(2)余热发电的定位是企业的自备电站,应充分利用企业的机、电修能力,在企业的机、电修车间内联合设置锅炉、汽轮机、电气、化学、管道等检修间,并配置常用的检修机具和工具。所谓常用的检修机具和工具,主要是指台钻、砂轮机、电气焊设备、钳工台、管工台等,这些机具在企业的机、电修车间内都有,所以企业只要调整一下机、电修车间班组职能,就可以满足电站的日常检修需求。

19.0.3、19.0.4 保温设计是容易忽视的问题,实际上余热利用系统的保温设计理念与常规保温设计不同,如水泥生产线 C1 预热器以后的废气管道保温设计以安全为标准,采用的是满足原料粉磨、煤粉制备用风要求的经济保温厚度。由于余热发电的存在,C1 预热器出口以后至生料烘干的废气管道保温设计已经影响了余热发电的余热回收,因此要求余热发电建设前要对水泥生产线原有保温进行评估,对于影响余热发电余热回收的保温应进行改造。如 C1 预热器出口至高温风机(或增湿塔)废气管道、增湿塔(或高温风机)出口至原料磨、煤磨废气管道,甚至 C1 预热器本身的保温必要时都应进行改造。